FORT WORTH LIBRARY
P9-DGC-926

SOS...
Tengo una adicción

José Antonio Molina del Peral

SOS... Tengo una adicción

EDICIONES PIRÁMIDE

COLECCIÓN «SOS PSICOLOGÍA ÚTIL»

Director:
Javier Urra Portillo

Diseño de cubierta e interiores: Anaí Miguel

Juan Ignacio Luca de Tena, 15. 28027 Madrid
Teléfono: 91 393 89 89
www.edicionespiramide.es
Depósito legal: M. 39.777-2011
ISBN: 978-84-368-2573-2
Composición: Grupo Anaya
Printed in Spain
Impreso en Lavel, S. A.
Polígono Industrial Los Llanos. Gran Canaria, 12
Humanes de Madrid (Madrid)

A Laura y Jorge
por la fuerza que me regaláis.

Índice

Explicación

En 1993 tuve mi primer acercamiento al campo de las adicciones. Estaba en tercero de Psicología, la carrera que elegí cursar, y un profesor propuso como práctica visitar su centro de trabajo y asistir a una sesión grupal. Me presenté voluntario, ávido de observar cómo se desarrollaba el trabajo sobre lo que estudiábamos, y supongo que si hubiera sido sobre cualquier otro tema me hubiera ofrecido voluntario de igual forma, pero lo cierto es que su centro estaba especializado en drogodependientes. Hoy, a pesar de los años que han pasado, recuerdo perfectamente el lugar, el grupo y sobre todo las sensaciones que tuve, que sin lugar a dudas marcaron mi trayectoria profesional. Empecé a colaborar con aquel profesor, y mi labor consistía en acompañar a los pacientes en la realización de actividades lúdicas. Al año siguiente, durante la carrera, elegí una asignatura optativa, Psicología de las Adicciones, y recuerdo que desde mi corta experiencia participaba de forma activa en las clases, sintiéndome ya como un «profesional del campo», pero lo que no sabía era ¡cuánto me quedaba por aprender!, y me sigue quedando, pues cada sesión es una fuente de nuevos conocimientos.

Una vez licenciado recibí formación durante las clases de doctorado, asistí a congresos, jornadas, cursos, etc., al principio como alumno y más tarde como ponente.

He trabajado en distintos centros especializados en adicciones (ambulatorios, comunidades terapéuticas, con período breve de ingreso, etc.), para posteriormente tener mi propia consulta.

He leído artículos en revistas de investigación y también he publicado en ellas. Pero con el tiempo te das cuenta de que en los libros figuraban muchas teorías, que en los cursos me contaban y contaba muchas cosas, pero que nadie o casi nadie me decía cómo llevaba a cabo su actividad, y supongo que por ello todavía sigo fascinado por haber visto una actuación en mi primer acercamiento. Todo ello me ha ido aportado conocimientos en esta área, pero nada como el día a día con pacientes. Ellos son los que me hacen disfrutar de mi trabajo diariamente con sus satisfacciones y sus penas, pero sabiendo que cada día aprendo algo nuevo.

Es a ellos, mis pacientes, a los que más debo agradecer que actualmente me vea con la capacidad de poder mostrar mi experiencia acumulada en el tiempo. Israel, en una sesión donde le estaba explicando no sé el qué, me dijo: «Esto sólo se lo dirás a los elegidos». Mi forma de exponérselo, con ejemplos de otros pacientes, de una manera sencilla, le debió gustar, y esta anécdota, junto con otras de algunos pacientes y compañeros de profesión, fue lo que me animó a llevar a cabo este proyecto, escribir este libro.

Espero que les satisfaga su lectura y les aporte un conocimiento mayor y más claro sobre este campo de actuación, de la misma forma en la que yo he disfrutado escribiéndolo.

Si al acabar el libro se encuentra con la necesidad de contactar con el autor, hágalo en la dirección de correo molina_adicciones@yahoo.es. Será un placer poder atenderle.

Prólogo

Cuando te propones escribir un libro lo primero a plantearse es a quién va dirigido para así adecuar el discurso. Este manuscrito pretende dirigirse a un amplio espectro de la población: pacientes o potenciales pacientes, familiares de personas con problemas adictivos, profesionales del ámbito de la salud, pero también al público en general con inquietudes y necesidad de saber sobre el extenso mundo de las adicciones.

Así podríamos decir que el libro está a medio camino entre una monografía divulgativa sobre las adicciones, un manual de autoayuda para adictos y familiares y una guía para profesionales. Para ello he utilizado un lenguaje sencillo (huyendo de los tecnicismos) y cercano, intentando no poner una barrera con el lector, de la misma forma que trato de hacerlo con los pacientes. Pero también es cierto que ni he vivido en carne propia lo que es una adicción, ni lo he sufrido en un familiar próximo. Así que seguro que muchos de los lectores podrían aportar más sobre las sensaciones y vivencias ante una situación de este tipo.

Probablemente en lo que más se ha incidido es en ejemplos de pacientes y familiares; por ello, la frase que encontramos más repetida es «Pongamos un ejemplo»... Además se han recogido testimonios de pacientes y familiares que describen sus emociones.

Con este libro espero poder aportar algo a los lectores, de la misma forma que todos y cada uno de mis pacientes me habéis dado experiencia y conocimiento en este campo de actuación.

Por último, quiero agradecer a mis pacientes el permitirme compartir emociones, desde la rabia ante una recaída hasta la satisfacción por los objetivos conseguidos, y un largo etcétera de sentimientos que hemos vivido juntos.

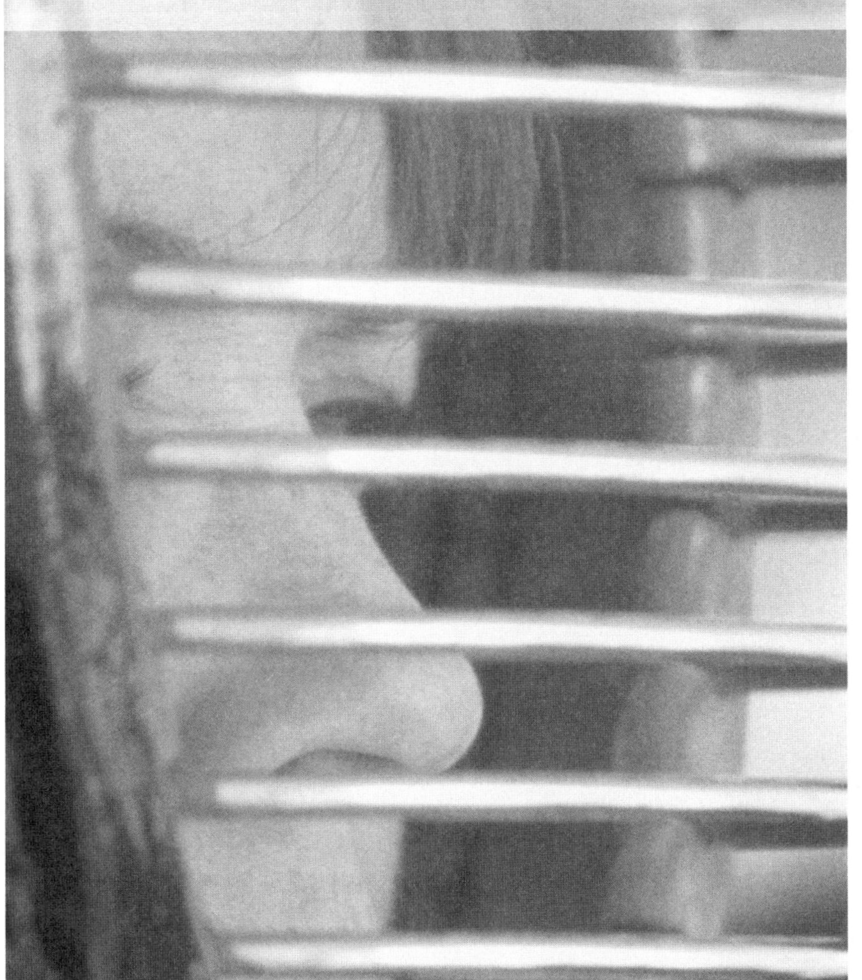

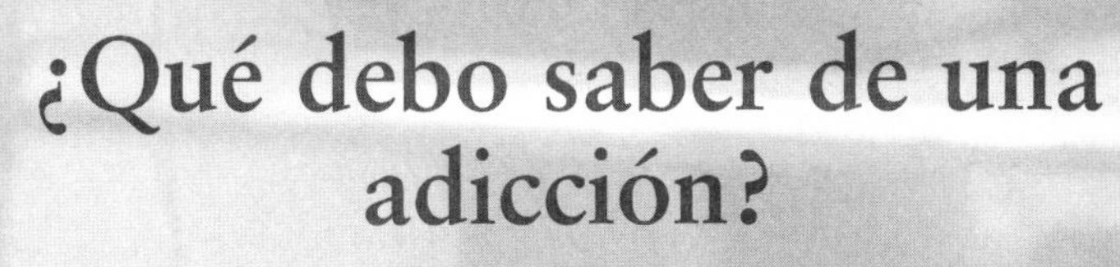

¿Qué debo saber de una adicción?

Este capítulo podría ser tan extenso como para desarrollar un manual, pero, en la línea del objetivo del libro, lo resumiremos lo más sencillamente posible sin entrar en terminología compleja.

Lo que vamos a desarrollar son los tipos de adicciones que existen, ahondando en ellas y describiendo las principales sustancias y conductas potencialmente adictivas. Cuáles son las bases neurológicas de las adicciones y una serie de términos o conceptos básicos habitualmente utilizados en este campo.

Terminología básica

Uso

Hay personas que usan algunos tipos de sustancias o llevan a cabo conductas que, como luego veremos, pueden convertirse en adictivas, y sin embargo, su vida no gira en torno a ello, no generándoles unas consecuencias negativas repetidas en el tiempo.

Probablemente conozcamos muchas personas que toman algo de alcohol en un aperitivo o en una comida, que luego pueden desarrollar su vida normalmente, o que, cuando les dan las vueltas en una cafetería, echan una o dos monedas en la máquina tragaperras y a continuación se van tranquilamente.

Con ello no se pretende indicar que sea recomendable llevar a cabo estas conductas, pero está claro que en estos casos hablaríamos de un uso de una sustancia o conducta sin que pudiéramos considerarlo patológico.

Abuso

Si avanzamos, nos encontramos los que abusan de dichas sustancias o conductas. Sería como un estadio intermedio antes de desarrollar una dependencia.

Cuando se produce un abuso se empieza a producir incumplimiento de obligaciones y se generan consecuencias negativas por el consumo. Supone un riesgo para el consumidor, y no sólo depende de la frecuencia y cantidad, sino de las peculiaridades de la persona. Por ejemplo, en alguien que tiene una hepatitis y la indicación es no consumir alcohol, cualquier tipo de consumo lo podríamos denominar abusivo.

Si recurrimos a los criterios DSM, manual para diagnosticar enfermedades mentales que manejamos los profesionales de la salud mental, hablaríamos de abuso cuando se produce:

Un patrón desadaptativo de consumo de sustancias que conlleva un deterioro o malestar clínicamente significativo, expresado por uno (o más) de los ítems siguientes durante un período de 12 meses:

1. Consumo recurrente de sustancias, que da lugar al incumplimiento de obligaciones en el trabajo, la escuela o en casa.

2. Consumo recurrente de la sustancia en situaciones en las que hacerlo es físicamente peligroso.
3. Problemas legales repetidos relacionados con la sustancia.
4. Consumo continuado de la sustancia, a pesar de tener problemas sociales continuos o recurrentes, o problemas interpersonales causados o exacerbados por los efectos de la sustancia.

Dependencia

Los síntomas empiezan a ser más y con mayor intensidad que en el abuso. Hay algo característico que es el tiempo invertido en el consumo y la recuperación de los efectos, cada vez mayor. Al igual que las consecuencias que empiezan a trasladarse a una gran mayoría de las áreas de su vida. Por otro lado, se va anulando la capacidad de decisión de la persona sobre la elección o no de consumir, surgiendo un estado de necesidad hacia la sustancia o conducta.

Si volvemos a los criterios DSM, éstas son las características:

Un patrón desadaptativo de consumo de la sustancia que conlleva un deterioro o malestar clínicamente significativo, expresado por tres (o más) de los ítems siguientes en algún momento de un período continuado de 12 meses:

1. Tolerancia.
2. Síndrome de abstinencia.
3. La sustancia es tomada con frecuencia en cantidades mayores o por durante un período más largo de lo que inicialmente se pretendía.

4. Existe un deseo persistente o esfuerzos infructuosos de controlar o interrumpir el consumo de la sustancia.
5. Se emplea mucho tiempo en actividades relacionadas con la obtención de la sustancia o en la recuperación de los efectos.
6. Reducción de importantes actividades sociales, laborales o recreativas debido al consumo de la sustancia.
7. Se continúa tomando la sustancia a pesar de tener conciencia de problemas psicológicos o físicos recidivantes o persistentes, que parecen causados o exacerbados por el consumo de la sustancia.

Tolerancia

Es un estado de adaptación que se produce en el organismo que hace que la misma cantidad de droga, o conducta potencialmente adictiva no sea satisfactoria, y que progresivamente se necesiten mayores dosis para conseguir los mismos efectos. Cuando hacemos un recorrido por el historial de consumo nos encontramos que puede llevar a cabo consumos que si no fuera por esta tolerancia parecerían inverosímiles; por ejemplo: seis gramos de cocaína diarios, cinco litros de cerveza al día, etc.

Socialmente, la tolerancia está mal entendida, especialmente en los casos de consumo de alcohol, dado que no se identifica como un problema («Yo no me emborracho»), aunque es obvio que altas cantidades generan un daño, más allá de que no se consigan unos efectos evidentes de embriaguez.

La tolerancia viene marcada biológicamente. Hay gente que la primera vez que prueban, por ejemplo el alcohol, con una mínima dosis, una cerveza, ya notan efectos, y sin embargo otros necesitan tres o cuatro cervezas para sentir la misma sensación. Será el consumo posterior continuado el que haga que siga aumentando o no.

Cuando se produce un tiempo de abstinencia, la tolerancia vuelve a los niveles iniciales, pero en cuanto se dan nuevos consumos, tras dicha abstinencia, se recupera de forma rápida los niveles que se habían alcanzado.

Síndrome de abstinencia

El síndrome carencial o de abstinencia se refiere al conjunto de manifestaciones físicas, mentales o comportamentales que se producen tras la interrupción del consumo de la sustancia o conducta de la que es dependiente. En función del tipo de sustancia existen síndromes de abstinencia más o menos peligrosos. Por ejemplo, el síndrome de abstinencia del alcohol, por el riesgo de sufrir lo que se denomina un delírium trémens —cuadro que debe ser controlado médicamente— puede resultar de gravedad si no es tratado adecuadamente. Este cuadro no es habitual, pero hay que tenerlo en cuenta, dado que se caracteriza por la presencia de alucinaciones y convulsiones. Existen otros síndromes de abstinencia que son espectaculares y llamativos en cuanto a su sintomatología, pero que no suponen una amenaza para la vida de la persona, como puede ser el de heroína.

Desintoxicación

Consiste en ir eliminando la droga del organismo, «dejar limpio el cuerpo». Este proceso se puede llevar a cabo con o sin apoyo médico, dependiendo del caso y sus peculiaridades, así como del tipo de sustancia. Sería una primera fase del tratamiento.

Deshabituación

Se refiere a los cambios psicológicos y comportamentales que se generan durante la fase de abstinencia. Se trata de recuperar la libertad de elección para poder decir «no» al consumo. Se pretende una reorganización en la vida para que no gire en torno al consumo, e ir rompiendo el hábito adquirido estableciendo nuevos patrones de conducta alternativos. Es una fase larga y comprende la parte fundamental del curso del tratamiento.

Drogodependencias: tipos de sustancias

Lo primero a diferenciar son los dos grandes campos de las adicciones que existen, las adicciones con sustancias, lo que se conoce como drogodependencias, y las adicciones sin sustancia, o dependencias psicológicas.

Para entender las drogodependencias, debemos definir lo que se entiende por droga, que según la Organización Mundial de la Salud es toda sustancia que introducida en un organismo vivo, ya sea de forma comida, bebida, esnifada, inyectada, etc., puede modificar una o más funciones de éste. Las drogas tienen la capacidad de generar tanto dependencia como tolerancia, conceptos éstos que ya han sido abordados.

Las drogas han tenido múltiples usos a lo largo de la historia, como forma de disfrute, para evadirnos, como medicina, o simplemente como costumbre, etc. Existen drogas, como el peyote, que han sido utilizadas en rituales religiosos.

El siglo XIX es el gran siglo de las drogas, por los avances farmacéuticos que se produjeron. Las drogas empiezan a estar al alcance de cualquiera en farmacias o boticas, e incluso pueden comprarse por correo. Los artistas y la burguesía experimentan con drogas como el opio y el cannabis, y las clases bajas consumen éter y óxido nitroso combinado con alcohol para emborracharse antes.

En el siglo XX surgen movimientos (iglesia, sindicatos, etcétera) para controlar las drogas, y así se inician las prohibiciones. La Segunda Guerra Mundial favorece que surjan nuevos fármacos, como las benzodiacepinas, LSD25, que por sus poderosos efectos abren una nueva etapa en las drogas.

Debemos aceptar que están entre nosotros y suponen un cierto atractivo, aunque también llevan aparejados multitud de riesgos.

Si nos centramos en los tipos de drogas, podemos establecer la siguiente clasificación:

Depresoras del sistema nervioso central

Provocan reacciones que van desde la desinhibición hasta el coma, en un proceso progresivo de adormecimiento general. Podemos incluir sustancias como: alcohol, opiáceos (heroína, metadona, etc.), tranquilizantes (fármacos utilizados fundamentalmente para calmar la ansiedad), hipnóticos (utilizados para mejorar el sueño), etc.

Estimulantes del sistema nervioso central

Lo que hacen es acelerar el funcionamiento habitual del cerebro. Podemos distinguir los estimulantes mayores (anfetaminas y cocaína) y estimulantes menores (nicotina, cafeína y teobromina).

Perturbadoras del sistema nervioso central

Alteran el funcionamiento del cerebro, dando lugar a distorsiones perceptivas, alucinaciones, etc. Destacamos los alucinógenos (LSD, mescalina), derivados del cannabis (hachís, marihuana) y las drogas de síntesis (éxtasis, Eva), etc.

Una vez que conocemos su clasificación, vamos a desarrollar las sustancias que son más habitualmente consumidas.

Alcohol

Se conoce desde tiempos inmemoriales; así por ejemplo, el código del rey babilónico Hammurabi amparaba a los bebedores de vinos de palma y cervezas y hacía ejecutar a los que aguaban la bebida. Los griegos rendían culto al dios Dioniso y ofrecían bebidas alcohólicas a sus deidades. Los romanos apreciaban mucho el vino, dando difusión a la vid por toda Europa. En la Biblia nos encontramos multitud de referencias al vino. Durante la Edad Media se asociaba tomar alcohol con salud y bienestar, pero en el siglo XIX el consumo aumenta, hasta que se convierte en un problema social.

En la actualidad tiene una fuerte aceptación social, lo que hace que sea la droga más consumida en todos los tramos de edad, tanto en hombres como en mujeres.

Constituye un rito de celebraciones y fiestas a través de los conocidos brindis (en fin de año, al cerrar un acuerdo laboral, etcétera).

El etanol es el responsable del efecto. Se obtiene a partir de fermentación, como en el caso del vino y la cerveza, o destilación, como en los licores. La graduación oscila entre los 5-7º de cervezas hasta los 40-50º de algunos licores. Con los grados nos referimos al porcentaje de alcohol puro del producto.

Los efectos dependen de la concentración de alcohol en sangre, la cantidad y rapidez de la ingesta, del tipo de bebida y de variables como el peso (afecta más a personas con menor masa muscular), sexo (la tolerancia femenina es menor) y de cuestiones, como tener el estómago vacío, que hacen que se genere un mayor efecto.

A bajas concentraciones produce en el cerebro sensaciones agradables, como relajación, euforia, aumento de la sociabilidad, desinhibición, lo cual es engañoso porque no es un estimulante como comúnmente se cree, sino un depresor del sistema nervioso. Lo que ocurre es que su primera acción inhibidora se produce sobre los centros cerebrales responsables del autocontrol. Si aumentamos el consumo, provoca disminución de los reflejos, descoordinación y dificultad a la hora de comunicarnos. Y a altas dosis produce fatiga y somnolencia, pudiendo llegar a un estado de coma y muerte por depresión cardiorrespiratoria.

Al organismo le cuesta mucho librarse del alcohol y lo hace a través de la respiración, orina, y especialmente del hígado, que es el que se encarga de metabolizarlo, pero teniendo un límite entre 20-30 gramos por hora, por lo que si no es metabolizado, circula por el torrente sanguíneo dañando todo el organismo.

A nivel físico, un consumo cronificado puede generar gastritis, úlcera gastroduodenal, cirrosis hepáticas, cardiopatías, problemas de erección, atrofia y degeneración cerebral, etc.

En el plano psicológico, las principales alteraciones son la pérdida de memoria, dificultades cognitivas, conductas de riesgo como conducir bajo sus efectos, inestabilidad emocional, etc.

El síndrome de abstinencia se caracteriza por: ansiedad, temblores, insomnio, náuseas, taquicardia e hipertensión, que pueden desembocar en un delírium trémens (delirios y alucinaciones) si no se recibe tratamiento.

Heroína

Existen referencias del consumo de derivados opiáceos que datan de 4000 años antes de Cristo. La morfina debe su nombre a Morfeo, dios griego del sueño. En 1874, los laboratorios Bayer sintetizaron la heroína. Se pensaba que podrían tratarse multitud de enfermedades y que carecía de contraindicaciones, pero con los años se evidenció los riesgos de su consumo.

En los inicios de los años setenta del siglo pasado, la heroína irrumpió bruscamente en contextos universitarios españoles, extendiéndose hacia colectivos sociales diversos, para acabar posteriormente su consumo en ambientes marginales. Hasta la década de los noventa, la vía principal de consumo era la intravenosa («un pico»), pero la epidemia de VIH que asoló a esta población hizo que cambiara la vía de administración, pasando a la forma fumada, lo que se conoce en el argot como «fumarse un chino». Actualmente es una droga en desuso, ya que las encuestas denotan una reducción en el consumo y en los demandantes de tratamiento.

La heroína pertenece a la familia de los opiáceos y se elabora a partir de la síntesis química de la morfina. Algo que la caracteriza es la rápida tolerancia que genera.

Los efectos iniciales son desagradables, náuseas y vómitos, pero posteriormente surge una intensa sensación de placer, con euforia, sensación de bienestar y sedación.

En el plano orgánico, los principales riesgos de su consumo son: adelgazamiento, estreñimiento, caries, anemia, insomnio, inhibición del deseo sexual, complicaciones pulmonares, complicaciones ginecológicas como amenorrea (desaparición del ciclo menstrual), infecciones diversas (hepatitis, endocarditis, etc.) asociadas al estilo de vida del consumidor, etc.

Los riesgos psicológicos son diversos, pudiendo incluir: alteraciones en la personalidad, problemas de memoria, ansiedad, depresión, etc. Su dependencia genera serios déficits en la vida de la persona (desestructuración familiar, social, laboral, caída en la marginalidad, etc.).

El síndrome de abstinencia se caracteriza por: lagrimeo, sudoración, debilidad, secreción nasal, insomnio, náuseas y vómitos, diarrea, dolores musculares, fiebre y fuerte ansiedad. Estos síntomas suelen desaparecer en una semana aproximadamente. Aunque resulta muy aparatoso, no reviste gravedad como otros síndromes carenciales.

Benzodiacepinas

Desde antaño se han utilizado hierbas para producir sedación. El primer compuesto químico conocido para conseguir este efecto fue el bromuro, que se introdujo a mediados del siglo XIX, siendo a principios del siglo XX cuando se comenzaron a utilizar los barbitúricos para una gran cantidad de trastornos psiquiátricos. En la década de los cincuenta del XX se empezaron a usar las benzodiacepinas, que fueron desplazando en su uso a los barbitúricos por presentar menores efectos secundarios.

Vulgarmente se conocen como pastillas para dormir, tranquilizantes, relajantes, etc.

En la gran mayoría de los casos, el primer acercamiento a estos fármacos es bajo prescripción facultativa, pero un uso inadecuado es el que puede conducir a generar una dependencia.

Los efectos de las benzodiacepinas son: reducen la ansiedad, mejoran el estado anímico, favorecen estados de relajación e inducen el sueño. A dosis elevadas dificultan la coordinación psicomotriz, generan confusión, aturdimiento, náuseas y lentitud en la asociación de ideas. Sus efectos aumentan al combinarlos con alcohol u otros depresores del sistema nervioso central.

Los riesgos van ligados a su potencial adictivo, ya que favorecen la tolerancia. Y por ello es desaconsejable la automedicación. Los principales efectos secundarios son sedación, fatiga, adormecimiento, mareos, etc.

El síndrome de abstinencia se caracteriza por insomnio, aumento de ansiedad, náuseas, irritabilidad, tensión muscular, dolor de cabeza, disforia, etc. Puede llegar a resultar peligroso, ya que en algunos casos llegan a convulsionar y a estados epilépticos. Por ello, su abandono debe hacerse de una forma gradual.

Cocaína

Las culturas indígenas la consumían para realizar trabajos físicos duros y evitar el cansancio. Subsanaba las carencias alimenticias gracias a los efectos inhibidores del apetito. En el siglo XIX se aisló el principio activo, el cual tuvo mucho éxito como anestésico local. Fue uno de los ingredientes de la Coca-Cola. En los años ochenta del siglo XX se empezó a introducir como una droga de clases sociales altas, para llegar a nuestros días, donde su consumo se ha ido extendiendo a las clases medias y bajas. Actualmente, la cocaína es la segunda droga ilegal más consumida después del cannabis, habiendo aumentado últimamente los demandantes de tratamiento.

Se estima que en torno a un 97,5 por 100 de los consumidores de cocaína asocian su consumo al alcohol.

Las hojas de coca dan lugar a distintos derivados, como el clorhidrato de cocaína, la más consumida en Europa (popularmente cocaína); sulfato de cocaína (pasta de coca, denominada base o basuko), que se fuma mezclada con tabaco o marihuana, y cocaína base (crack), que se fuma mezclada con tabaco.

Se consume fundamentalmente esnifada, llegando muy rápido al cerebro.

En relación a los efectos, produce una sensación de euforia, locuacidad, aumento de la sociabilidad, mayor seguridad en sí mismo, aceleración mental, hiperactividad, deseo sexual aumentado, disminución de la fatiga, reducción del sueño, inhibición del apetito, aumento de la presión arterial, etc.

En consumidores crónicos sobreviene un estado de cansancio o apatía que puede inducir a repetir el consumo.

Los riesgos físicos del consumo continuado son la pérdida de apetito, insomnio, perforación del tabique nasal, patología respiratoria (sinusitis e irritación de la mucosa nasal), posibles infartos y hemorragias cerebrales, cardiopatía isquémica, hipertensión, etc.

En el plano psicológico el consumo crónico o abusivo puede generar trastornos psíquicos, como ideas paranoides (sentirse perseguido y observado), depresión, apatía sexual, etc. La dependencia psíquica de esta droga es una de las más intensas.

Tras períodos prolongados de consumo, la supresión genera un efecto rebote con síntomas como somnolencia, depresión, irritabilidad, fatiga, cambios bruscos en el estado de ánimo, falta de placer ante situaciones que antes resultaban gratificantes, etc.

Tabaco

El tabaco se extrae de una planta denominada *Nicotiana Tabacum*, oriunda de América. Antes de que los españoles descubriesen aquellas tierras, los mayas la cultivaban para fumar sus hojas secas. Los aztecas, cuando sometieron a los mayas, asimilaron la costumbre de fumar tabaco, que conservaron hasta la llegada de los españoles. El conocimiento del tabaco en Europa se tuvo a partir del primer viaje de Colón a América, siendo uno de los regalos que le hicieron a éste los indígenas. Durante los siglos XVI y XVII predomina el empleo del tabaco en virtud de sus propiedades terapéuticas, dentro del contexto médico. En la segunda mitad del siglo XVII decae su utilización médica y se sustituye por un patrón de uso hedonista. Aparece como vínculo de relaciones sociales, siendo su ofrecimiento signo de cortesía y hospitalidad. A partir de la Primera Guerra Mundial (1914-1918) se extiende el consumo de cigarrillos. Con la Segunda Guerra Mundial (1939-1945) y las transformaciones sociales que siguieron a la misma, se produce la incorporación de las mujeres al consumo de tabaco, hasta llegar a nuestros días, donde en muchos países, como España, existen ya más adolescentes fumadoras que fumadores.

Desde la década de los sesenta han proliferado las investigaciones sobre tabaquismo y su relación con distintos trastornos de toda índole y gravedad, como cánceres (de pulmón, laringe, cavidad bucal, etc.) y trastornos cardiovasculares, enfermedades respiratorias, etc. Dichos hallazgos, sumados a las campañas preventivas hacia su consumo y las restricciones legales, han hecho que la proporción de fumadores haya descendido en los últimos años.

Es, junto con el alcohol, la sustancia más consumida y que mayores gastos genera por cuestiones sanitarias. Se estima que en España mueren unas 40.000 personas al año por males asociados al tabaco.

Contiene más de 4.000 sustancias tóxicas, entre las que destacan la nicotina y el alquitrán. Sabemos que la nicotina tiene un fuerte poder adictivo.

Los efectos son estimulantes, pero muchos fumadores creen que es un relajante, ya que les calma al paliar la disminución de nicotina en sangre y porque lo asocian con estados de relajación. Así, aumenta el ritmo cardíaco, la frecuencia respiratoria y la tensión arterial.

Los riesgos más graves aparecen en el medio o largo plazo, pero se producen daños inmediatos, como la disminución de la capacidad pulmonar, alteraciones en el olfato, etc.

Existen multitud de patologías donde el consumo de tabaco está asociado: en la cavidad bucal (pigmentación dentaria, inflamación de la encía, etc.); en el aparato digestivo (reflujo gastroesofágico, úlcera péptica, etc.); en las vías respiratorias (faringitis crónica, ronquera del fumador, etc.); en el corazón y sistema circulatorio (infarto de miocardio, arterioesclerosis, trombosis, etc.) y asociado a multitud de cánceres, siendo el principal el de pulmón.

De igual forma, existen datos a día de hoy que confirman que en el fumador pasivo se incrementa el riesgo de cáncer y patologías respiratorias.

Respecto al síndrome de abstinencia, los síntomas principales son: deseos de fumar, irritabilidad, insomnio, dificultad para concentrarse, tensión, aumento del apetito, incremento de la tos y expectoraciones, etc.

Anfetaminas

En el año 1887 se aisló la efedrina, sustancia con propiedades estimulantes, siendo fármaco de utilización médica.

Las anfetaminas se utilizaron en los conflictos bélicos del siglo XX para vencer el cansancio y mejorar la entrega durante las batallas. Han sido muy usadas por estudiantes en épocas de exámenes y en regímenes alimenticios.

Los efectos psicológicos son: agitación, euforia, sensación de autoestima aumentada, verborrea, alerta y vigilancia constante, aumento de la atención y de la concentración, etc. En ocasiones producen agresividad.

A nivel fisiológico generan: falta de apetito, taquicardia, insomnio, sequedad de boca, sudoración, incremento de la tensión arterial, contracción de la mandíbula, etc.

Uno de los riesgos principales del consumo es la aparición de un cuadro de psicosis tóxica anfetamínica que es confundido con la esquizofrenia. También existen otros riesgos: depresión reactiva, hipertensión, arritmia, etc.

El síndrome de abstinencia produce cambios bruscos de humor, falta de energía, insomnio, ansiedad, fatiga, depresión, etc.

Derivados del cannabis

La primera referencia sobre su consumo es del año 2737 a.C. y data de China, donde se recomendaba su consumo para cuestiones tan diversas como reumatismo, trastornos oculares, insomnio, trastornos menstruales, etc. Su empleo es milenario en países como India, donde se le atribuían características como aumentar la longevidad, potenciar el deseo sexual, etc., siendo su uso habitual en ceremonias religiosas y de meditación. En los años sesenta del siglo pasado fue escogida como la droga de elección del movimiento hippy, junto con el ácido lisérgico (LSD).

En la actualidad, es la sustancia ilegal que cuenta con más aceptación social y un mayor número de consumidores.

La planta se conoce como *Cannabis sativa* y sus efectos psicoactivos se deben a uno de sus principios activos, el tetrahidrocannabinol (THC). Es una planta con cuya resina, hojas y flores se elaboran el hachís y la marihuana.

Los efectos son de rápida aparición, aunque dependen de factores como las expectativas, el estado anímico, etc.

A nivel psicológico, los más relevantes son: relajación, desinhibición, risa fácil, sensación de lentitud en el paso del tiempo, somnolencia, alteraciones sensoriales, dificultad para expresarse con claridad y alteraciones en memoria inmediata, capacidad de concentración y procesos de aprendizaje.

Los efectos fisiológicos son: aumento del apetito, sequedad de boca, ojos brillantes y enrojecidos, taquicardia, sudoración, descoordinación de movimientos, etc. Consumido junto con alcohol puede favorecer la aparición lipotimias, ya que potencia el efecto del alcohol.

Como riesgo psicológico existe el llamado síndrome amotivacional, que se caracteriza por un pobre comportamiento psicosocial, baja capacidad de concentración y déficits de memoria. En consumidores con una predisposición puede favorecer la presencia de cuadros psicóticos.

En el plano orgánico, los principales riesgos son: respiratorios (tos crónica y bronquitis), cardiovasculares (empeoran los síntomas en personas con hipertensión o insuficiencia cardíaca), endocrinos (altera hormonas responsables del sistema reproductor), inmunitarios (reduce la actividad de este sistema), etc.

Se están llevando a cabo multitud de investigaciones sobre su posible uso terapéutico, ya que mejora el apetito y disminuye los vómitos.

Respecto al síndrome de abstinencia, los principales síntomas son: depresión, insomnio, ansiedad, irritabilidad y anorexia, etc.

Drogas de síntesis

Los primeros consumos ilegales que se conocen datan de los años sesenta del pasado siglo, produciéndose en el oeste de los Estados Unidos. Posteriormente se prohibió a mediados de los ochenta en aquel país. Se popularizaron a finales del siglo XX, bajo el término «drogas de diseño». La erupción en Europa se origina en la década de los noventa.

Son compuestos anfetamínicos a los que se añade algún componente alucinógeno. Existen multitud y con nombres de lo más variopinto, pero la más popular es el éxtasis. Su consumo está asociado al fin de semana, no siendo habitual que se realice de forma diaria. Se suele consumir en grupo.

Los efectos psicológicos son: sociabilidad, empatía, euforia, sensación de autoestima aumentada, desinhibición, mayor deseo sexual, locuacidad, etc. En dosis altas puede aparecer ansiedad, pánico, psicosis paranoides, etc.

En cuanto a los efectos físicos, nos encontramos con: taquicardia, arritmia, hipertensión, sequedad de boca, sudoración, contracción de la mandíbula, temblores, deshidratación, aumento de la temperatura corporal, etc.

Los riesgos en el plano psicológico son la posible aparición de crisis de ansiedad, trastornos depresivos, alteraciones psicóticas, etc.

En el organismo, los riesgos son: aumento severo de la temperatura corporal con riesgo de deshidratación, arritmia, convulsiones, insuficiencia renal, hemorragias, trombosis e infartos cerebrales, insuficiencia hepática, etc.

El síndrome de abstinencia dificulta la conciliación del sueño, produce cansancio, aumenta la agresividad, etc.

Alucinógenos

La mayoría proceden de hongos cultivados en países latinoamericanos y africanos, como por ejemplo el peyote mexicano, del que se extrae la mescalina. Existen multitud de alucinógenos, pero el más conocido en Europa y más consumido en nuestro país es el LSD. Por ello vamos a centrarnos en éste.

Durante la historia los alucinógenos han tenido gran relevancia en rituales de corte sagrado, dado que se consideraban clave para entrar en contacto con la divinidad. El LSD fue descubierto por el químico suizo Albert Hofmann, en 1938. En los años cuarenta se utilizó en contextos médicos, hasta que se observó que los efectos eran imprevisibles, por lo que se dejó de utilizar. Muy usado por el movimiento hippy y asociado a la llamada contracultura (universitarios, artistas, intelectuales, músicos, etc.), se utilizó esta droga en busca de otros estados de conciencia.

Los efectos psicológicos dependen de factores como la personalidad previa, el estado anímico y las expectativas sobre su consumo. De cualquier forma, los efectos más destacables son: hipersensibilidad sensorial, alteración de la percepción del tiempo y del espacio, alucinaciones, ideas delirantes, euforia, confusión mental, verborrea, hiperactividad, experiencia mística, etc.

En relación a los efectos fisiológicos destacamos: taquicardia, hipertermia, hipotensión, dilatación de la pupila, sudoración, fobia a la luz, etc.

Los riesgos psicológicos son: reacciones de pánico («mal viaje»), intentos de suicidio por el propio contenido de la alucinación, reacciones psicóticas, *flashback* (recuerdo de la vivencia obtenida con la droga, pudiendo ocurrir semanas después de la ingesta), cuadros de depresión y ansiedad, etc.

En el plano orgánico, dado que el consumo es esporádico, no existen pruebas de que generen daño físico, excepto las reacciones que los propios efectos producen en el organismo.

Respecto al síndrome de abstinencia, no hay evidencia científica que demuestre que se genera un síndrome carencial.

ADICCIONES SIN SUSTANCIA

Como ya hemos mencionado, las adicciones no podemos limitarlas a las generadas por sustancias químicas, dado que hay conductas aparentemente inofensivas, como tener relaciones sexuales, comprar, utilizar Internet, jugar en un bingo, etc., que en ciertos tipos de personas llegan a convertirse en unos hábitos que les producen una pérdida de libertad, generándose una adicción.

Cuando nos adentramos en el estudio de este tipo de conductas, la cuestión a plantearnos es cuál es el límite para considerar que unas conductas son «normales» o que están cruzando la barrera de la adicción. Podemos destacar algunas características: dependencia psicológica, que hace que sea un pensamiento recurrente; pérdida de control, desarrollo de una serie de consecuencias negativas por llevar a cabo la conducta y aún así seguir repitiéndola, progresivo abandono de actividades que resultaban gratificantes y dedicación de una parte importante de tiempo a programar o llevar a cabo dichas conductas.

A nivel cerebral comparten similitudes con las drogodependencias, como podremos observar en el desarrollo del siguiente apartado.

Existen distintas modalidades de adicciones psicológicas, pero vamos únicamente a desarrollar las más frecuentes.

Adicción al juego o ludopatía

El juego es un fenómeno conocido desde antaño y recogido en la literatura en una obra excepcional, *El jugador,* donde Dostoievski describió su propia experiencia. Se cuenta que lo escribió para pagar unas deudas, contraídas precisamente por el juego.

Las características de un jugador patológico vienen marcadas por cuestiones como jugar más de lo que había planificado. Imaginemos que tomamos un café y nos sobra una moneda al devolvernos el cambio, que decidimos echarla en la máquina tragaperras, y terminamos jugando 50 euros. Otros rasgos son empezar a mentir, jugar para recuperar lo perdido y realizar la conducta por unas motivaciones ligadas a componentes emocionales, como evasión de problemas, vencer el aburrimiento, etc.

Como en otros tipos de adicciones, se ven alteradas las áreas principales de la vida, pero es la económica la que antes llama la atención, especialmente de los seres cercanos.

Nos encontramos casos en los que ésta es su adicción a tratar y otros donde se les genera de forma secundaria al consumo de sustancias, como alcohol, cocaína, etc.

Respecto al tipo de juego, son más susceptibles de generar adicción los que dan un resultado en un espacio corto de tiempo, por ejemplo las máquinas tragaperras, siendo más complejo generar una dependencia en los que el tiempo que transcurre entre la ejecución de la conducta de jugar y el posible premio es más dilatado, como por ejemplo las quinielas.

Jerónimo, en una sesión, mientras lloraba indicaba: «Ayer me gasté 300 euros en una tragaperras tomando unas copas», cuando estaba cobrando unos 650 euros de prestación por desempleo y tenía que pasar a su pareja 250 euros para la manutención de sus hijas. En este caso, aunque el gasto no es tan alto como en otros, sus condiciones económicas precarias hacen que lo podamos describir como desmesurado.

Pedro, en un mes y medio, tuvo un gasto de 7.500 euros en tragaperras y bingos, dinero que conseguía endeudándose con créditos personales a altos intereses.

Adicción al sexo

¿Cuándo una conducta que nos resulta tan placentera se convierte en adictiva? Básicamente cuando es una obsesión para la persona, siendo llevada a cabo para aliviar un malestar, como ansiedad, etc., y no por el propio placer que produce. Esto genera baja satisfacción y sentimiento de culpa.

A diferencia de la promiscuidad, en la adicción al sexo hablamos de conductas que no son deseadas por la persona. Así, podemos afirmar que el límite entre una sexualidad alta y la adicción al sexo viene marcado por las consecuencias negativas que genera, produciéndose una interferencia importante en la vida de la persona que lo sufre.

Afecta más a los hombres y se caracteriza por un exceso de deseos y conductas sexuales que la persona se siente incapaz de controlar. Esta falta de control desemboca en conductas sexuales breves y poco satisfactorias, por lo que las relaciones sexuales se reducen a la urgencia biológica de eyacular.

Las formas más habituales que toma este tipo de adicción son: consumo abusivo de líneas eróticas, frecuentar habitualmente prostíbulos, masturbación compulsiva, búsqueda constante de relaciones a través de múltiples amantes, etc.

En muchas ocasiones van unidas al consumo de ciertas drogas, ya que favorecen la desinhibición.

Adicción a Internet

Internet es una herramienta útil que puede mejorar nuestra calidad de vida, dado que nos permite comunicarnos, encontrar información, hacer compras, etc., pero hay personas que se quedan «enganchadas a la red».

Al igual que en otras adicciones, hay casos donde el consumo abusivo de Internet es secundario a otras dependencias (adicción al juego, compras, sexo, etc.), por lo que Internet se convierte simplemente en un vehículo para llevar a cabo otras conductas de las que realmente se es adicto.

Antonio es un paciente que sufre adicción al juego, pero que utiliza Internet como una forma más para jugar, al igual que puede hacerlo con tragaperras, bingos, etc. ¿En este caso podríamos hablar de adicción a Internet? La respuesta es no, dado que su problema es el juego y no el consumo de Internet.

Si nos ceñimos entonces al posible consumo abusivo de Internet debemos analizar qué elementos del ciberespacio son más susceptibles de «engancharnos». Todo lo que implique relaciones interpersonales será un factor de mayor riesgo para desarrollar una adicción a Internet. Entre ellos podemos destacar: correo electrónico, *chats* (donde se puede conversar con infinidad de gente en el momento), canales MUD o de juegos *on-line,* etc.

Las señales de alerta son la comprobación reiterada del correo electrónico, el tiempo invertido en navegar por la red, el dinero gastado en servicios *on-line,* descuido de actividades, disminución de horas de sueño, etc.

Es un tipo de adicción donde fácilmente nos encontramos carencias psicológicas, como falta de recursos en la comunicación, baja autoestima, necesidad de generar otras identidades, sentimiento de soledad, etc.

Adicción a las compras

Existen una serie de valores sociales que impulsan al consumo, como un símbolo del estatus de la persona..., «más se es cuanto más se tiene».

Algo tan habitual como realizar compras, se convierte para algunas personas en un impulso difícil de controlar que domina sus vidas.

Un adicto a las compras tiene una gran necesidad de adquirir cosas nuevas, que en la mayoría de las ocasiones les resultan innecesarias o incluso inútiles o superfluas, llevando a cabo consumos no planificados y que en muchas ocasiones superan las posibilidades económicas de la persona, lo que conlleva grandes endeudamientos. Hay una frase que decía Pilar en una sesión que describe perfectamente esta patología: «Se compra por comprar».

Sin entrar a hacer retratos robots, y contando con la individualidad personal, podemos afirmar que es más habitual en mujeres que en hombres.

En relación a los tipos de compras que realizan las mujeres, suelen ser: joyas, lencería, cosméticos, zapatos y ropa en general. Respecto a los hombres: accesorios para el coche, material informático, equipos electrónicos, móviles, etc.

Ambos tratan de mejorar la autoestima y el que unos y otros tengan unos perfiles distintos de artículos de compra está muy relacionado con valores sociales, dado que las mujeres han estado más condicionadas por aspectos físicos, mientras los hombres, por la riqueza o ser expertos en áreas.

Adicción al trabajo

Cuando una persona tiene una alta dedicación al trabajo, la sociedad suele reforzarlo —«es muy trabajador», «sólo va de su casa al trabajo y del trabajo a casa»— como un valor importante de la persona.

En Japón cuentan con una palabra, *«karoshi»*, que fue acuñada en la década de los ochenta del siglo pasado, que significa morir en el trabajo por un gran sobreesfuerzo. En la mayoría de los casos, dichas muertes sobrevenían en el propio lugar de trabajo por ataques súbitos de corazón tras un período prolongado de estrés.

En los adictos al trabajo o *workaholics* existen una ideas sobrevaloradas respecto al poder y el dinero, lo que lleva a personas con baja autoestima que asocian el valor de una persona con su éxito profesional a la disminución de otras actividades placenteras, como la vida familiar, el ocio, etc. Así, la actividad laboral se convierte en el motor principal de su vida. Sería aplicable la pregunta: «¿Trabajas para vivir o vives para trabajar?».

¿Qué diferenciaría a alguien que tiene una gran dedicación a su trabajo de una persona adicta? Una primera cuestión es que los períodos de sobreimplicación son de carácter temporal, es decir, no es lo mismo que durante diez días, por un «pico de trabajo», se disminuyan horas de sueño, actividades de ocio, etcétera, que esto sea una pauta habitual en la vida. Luis me indicaba en la evaluación que durante más de quince años había llevado una actividad laboral «frenética», disminuyendo horas de sueño, desatendiendo a la familia, amigos, no disfrutando en esos años de más de ocho días seguidos de vacaciones, etc.

En este tipo de personas surgen sentimientos de irritabilidad o insatisfacción cuando están fuera del trabajo o algún imprevisto interfiere en su actividad laboral.

Luis me comentaba cómo una llamada de su mujer para preguntarle qué tal le había ido el día o informarle de una cuestión doméstica le irritaba, ya que pensaba que «estaba perdiendo el tiempo».

Otro rasgo que les caracteriza es el sentimiento de culpabilidad que subyace cuando no están trabajando.

Conocemos casos donde tras abandonar una drogodependencia han desarrollado una adicción al trabajo, como una forma de refugio ante sus problemas.

Ismael, tras superar una dependencia a la cocaína, se vio inmerso en una adicción al trabajo que le dificultó llevar a cabo una vida equilibrada respecto a otras áreas, como la familia, amigos, ocio, etc.

Adicción a la comida o sobreingesta compulsiva

Se caracteriza por la presencia regular de atracones, con un alto contenido calórico, sin control por parte de la persona. Suelen ser episodios en los que de forma súbita se genera una gran sensación de hambre produciéndose una rápida ingestión de alimentos.

La diferencia del mero hecho de comer de forma abundante es la sensación de pérdida de control, el alivio momentáneo de estados anímicos negativos y el posterior sentimiento de culpa. Esto hace que la comida, para este tipo de personas, se convierta en el núcleo central de su vida.

Existen algunas características que la diferencian de la bulimia nerviosa. En la sobreingesta compulsiva no se suele recurrir a conductas purgativas como el vómito, no se utilizan laxantes, diuréticos, no hay una distorsión de la imagen corporal, y por último, no se recurre a conductas de ayuno.

Adicción al ejercicio físico (vigorexia)

El aumento que se está produciendo de este tipo de cuadro hace que exista una corriente que aboga por introducirlo como un trastorno que pueda ser diagnosticado.

Los factores socioculturales de culto al cuerpo están influyendo en el desarrollo de la adicción al ejercicio físico.

La característica fundamental es la asociación entre belleza y aumento de la masa muscular. Esto hace que se pasen un gran número de horas al día en el gimnasio.

Viene acompañado de una dieta rica en proteínas y carbohidratos para aumentar la musculatura del cuerpo, siendo frecuente el consumo de anabolizantes y esteroides para incrementar las proporciones corporales, pudiendo por ello sufrir alteraciones hepáticas, cardíacas, problemas de erección, bruscos cambios de humor, etc.

Los afectados sufren una distorsión de la imagen corporal, viéndose como débiles y enclenques, al contrario que en la anorexia nerviosa, donde se ven con unas proporciones corporales sobredimensionadas.

Este tipo de adicción al gimnasio es más frecuente en varones; sin embargo, la anorexia es más común en mujeres.

Bases neurobiológicas

El cerebro humano funciona mediante impulsos eléctricos transmitidos de una neurona a otra mediante los denominados neurotransmisores. Se conocen unos cincuenta, pero destacaremos, fundamentalmente, la dopamina por su importancia en los procesos adictivos.

Si nos preguntamos qué hacemos para conseguir estados de satisfacción, bienestar, placer, etc., el listado puede ser muy amplio: ir al cine, practicar sexo, comer, hacer deporte...

El sistema de recompensa y motivación o sistema dopaminérgico mesolímbico del cerebro está asociado a las sensaciones positivas, las cuales nos llevan a repetir una misma conducta. Este sistema se encuentra localizado en el sistema límbico, por debajo de la corteza o córtex, a nivel subcortical, y está asociado a las emociones, sensaciones e impulsos.

Las neuronas de este sistema funcionan como un sistema eléctrico, y las conexiones entre neurona y neurona se hacen con una sustancia denominada dopamina.

Las personas, por naturaleza, buscamos conseguir un elevado nivel de dopamina, lo que supone mantener o generar sensaciones de satisfacción, bienestar, placer, etc., y para ello realizamos actividades placenteras. Cuando dejamos de activar estas neuronas desciende el nivel de dopamina, activándose otro sistema por el cual se generan otros neurotransmisores, como noradrenalina o norepinefrina, los cuales están asociados a sensaciones opuestas (malestar, ansiedad, nerviosismo, etc.).

En consecuencia, esto equivaldría a decir de una manera sencilla que tendemos a buscar unos niveles elevados de dopamina, ya que a mayor cantidad, sentimos menor malestar y mayor euforia.

Pongamos un ejemplo para comprender la relación drogas y cerebro.

El sistema de recompensa es como la red eléctrica que funciona a 220 W. Nuestro objetivo es hacer cosas para mantenerlo a esta potencia. Las drogas, en vez de ayudar a mantener este sistema a la potencia de 220 W, nos proporcionan «chispazos» a mayor potencia. Cada chispazo produce inicialmente «sensaciones muy positivas y reforzantes».

Las drogas actúan de una forma similar a la dopamina, ya que su consumo simula una sensación de placer y por ello de recompensa cerebral. La diferencia entre las distintas sustancias es que cada una activa más o menos este sistema, es decir, generan más o menos dopamina.

Supongamos que acciones cotidianas nos producen más o menos 220 W, el alcohol da un poco más unos 250 W, las pastillas más 400 W, la cocaína, dependiendo de la vía de administración, dará más o menos, pero pongamos una media de 700 W, y la heroína, al igual que la cocaína, depende de la forma de administrarla, pero pensemos que da 1.000 W. Estos números son una simple ilustración para entender el ejemplo, no siendo datos reales.

Con el tiempo, este sistema se va «adaptando» y necesita más cantidad para obtener los mismos resultados, y como tenemos que buscar mantener unos niveles de dopamina elevados, aumentamos el nivel de consumo.

Por otra parte, el consumo crónico de drogas puede acabar degenerando y destruyendo células neuronales de este sistema.

En consecuencia, como las neuronas se van acostumbrando a niveles de dopamina cada vez más altos —recordemos cuando hablamos de la tolerancia—, una parte se va «quemando», y así lo que antes nos generaba sensaciones positivas a 220 W, ya nos deja de motivar, por lo que vamos cambiando nuestras conductas de ocio habituales, por consumo. Esto constituiría la base sobre el desarrollo de cualquier adicción.

¿Y qué es lo que explica que se produzca un síndrome de abstinencia? En la base estaría la falta de dopamina y otras sustancias, como la serotonina (que también genera sensaciones agradables) y el consiguiente aumento de norepinefrina y noradrenalina, es decir, de sensaciones desagradables, que ya hemos descrito.

Cuando dejamos de consumir una sustancia también se produce otro efecto que se llama hipersensibilización dopaminérgica. Si una neurona se hiperactiva continuamente, al dejar de activarla se queda hipersensibilizada, es decir, si al tiempo la vuelves a hiperactivar, rápidamente vuelve al mismo punto de «disparo», lo cual se piensa que podría explicar que las personas adictas cuando vuelven a consumir de forma rápida retornan a patrones de consumo similares. Así, en el cerebro de un adicto se mantiene una vulnerabilidad ante nuevos consumos.

Esto último también está relacionado con el sistema GABA, implicado básicamente en el control de impulsos. Se supone que este sistema podría alterarse con el consumo crónico y habitual de sustancias, especialmente cocaína y alcohol, lo cual explica los problemas de control de impulsos que presentan las personas con adicciones. Así, una vez se ha dejado de consumir, no vuelve a controlar los impulsos con normalidad hasta pasado un tiempo.

Lo anterior nos ayuda a entender por qué hay que «evitar situaciones de riesgo», cómo por ejemplo frecuentar las mismas compañías con las que consumía, ya que cualquier asociación previa con la sustancia o conducta puede generar un deseo de consumo, y como el sistema de control de impulsos no está todavía «fuerte», es más fácil perder el control y recaer.

Como resumen, indicar que los efectos reforzantes de las drogas se producen al actuar sobre unas regiones cerebrales interconexionadas entre sí por distintos sistemas de neurotransmisores que se denominan «circuitos cerebrales de refuerzo».

La dopamina se ve aumentada cuando se consumen drogas, produciendo lo que llamamos vulgarmente «un subidón». Pero la dopamina también la podemos aumentar mediante conductas como pueden ser la actividad sexual, ingestión de alimentos, etc. Así, una persona adicta a una sustancia o una conducta se habitúa a altas concentraciones de dopamina, echando de menos estas concentraciones cuando no se producen.

¿Cómo ha evolucionado el consumo en los últimos años?

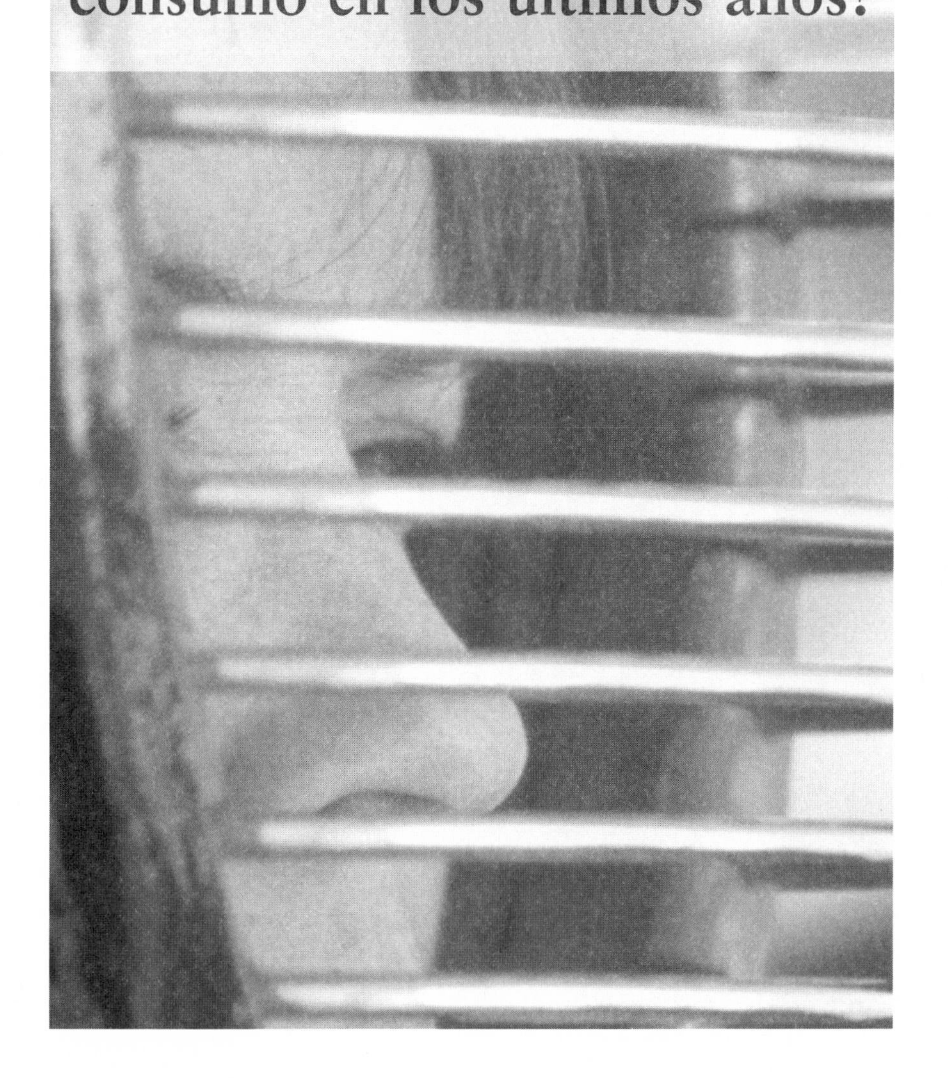

En las últimas décadas se ha producido un cambio en la «moda» respecto al consumo de sustancias.

En España, la década de los setenta del siglo pasado fue la de los derivados del cannabis «porros»; en los ochenta, el consumo de heroína hizo estragos; en los noventa surgieron con fuerza las drogas de síntesis, siendo el éxtasis la «estrella», y en la primera década del siglo XXI, la sustancia que con más virulencia se ha instalado ha sido la cocaína.

Lo descrito anteriormente lo podemos considerar una visión simplista, ya que nos olvidamos de algunas sustancias, como el alcohol y el tabaco. Además hay drogas que se han seguido consumiendo en épocas distintas a las anteriormente mencionadas.

En este capítulo vamos a indicar algunos datos que nos ayuden a entender la evolución respecto al consumo de sustancias. Nos centraremos en las más populares y en las que cuentan con mayor número de demandantes de tratamiento.

El *alcohol* ha sufrido un cambio respecto al patrón de ingesta. Antaño era más frecuente realizar un consumo diario y ligado a la comida, aperitivos, etc., mientras que en la actualidad se ha instaurado un consumo abusivo de fin de semana. Este tipo de consumo esta asociado al ocio en población joven.

Si revisamos las encuestas, observamos que el porcentaje de bebedores se mantiene estable, si bien podemos afirmar que es elevado. Así, en 1995, según datos de la encuesta domiciliaria del Plan Nacional sobre Drogas (PNSD), la cual se realizó por primera vez en el año 1995, afirmaban haber bebido alcohol durante los últimos treinta días un 64,0 por 100 de población de 15-64 años, mientras que en 2008 el porcentaje era un 60,0 por 100. Si estos mismos datos los comparamos respecto a si ha existido consumo en los últimos 12 meses, en 1995 decían haberlo hecho un 68,5 por 100, mientras que en 2008 ascendía a un 72,8 por 100.

El consumo de alcohol es mayoritario en hombres, y así, en la última encuesta publicada por el PNSD (2007/2008) afirman haberlo consumido en los últimos 12 meses un 80,4 por 100 de hombres y un 66,4 por 100 de mujeres.

Respecto a la encuesta sobre drogas a población escolar (ESTUDES) con jóvenes de 14-18 años, promovida igualmente por el PNSD, podemos afirmar que ha descendido algo el consumo, pero nos encontramos con que de ser muy similar en chicos y chicas ha pasado a ser mayor el de chicas. Así, en 1996 afirmaban haber consumido alcohol en el último año un 82,3 por 100 de hombres y un 82,5 por 100 de mujeres. Una década después lo habían consumido un 73,4 por 100 y un 76,3 por 100, respectivamente.

Con estos datos podemos anticipar que transcurrido un cierto tiempo el consumo en la población tenderá a equipararse entre hombres y mujeres.

Del *tabaco* podemos afirmar que se ha visto reducido su consumo considerablemente. En 1997, un 34,9 por 100 de la población de 15 a 65 años fumaban diariamente, mientras que una década después la proporción desciende al 29,6 por 100. A ello han contribuido las campañas de concienciación, las medidas legales respecto a la limitación del consumo y, por ejemplo, la restricción en publicidad ligada a eventos deportivos.

Respecto al género, se ha producido una masiva incorporación de las mujeres al hábito de fumar. En poblaciones de 14 a 18 años, a la pregunta de si lo han consumido alguna vez en su vida, la prevalencia de consumo en varones es del 42 por 100, mientras que en mujeres es del 49,8 por 100.

En 1997, un 55 por 100 de hombres afirmaban haber consumido tabaco en los últimos 12 meses, frente a un 38,7 por 100 de mujeres, y sin embargo en datos recogidos en 2007-2008, ante la misma cuestión, el porcentaje de hombres era del 46,0 por 100 frente al 37,6 por 100 de mujeres.

Así, por la evolución que estamos apreciando podemos predecir que el porcentaje de fumadores varones y de mujeres con los años se equiparará e incluso podrá invertirse, hasta poder llegar a ser mayor el número de fumadoras que de fumadores.

La explicación a este fenómeno puede estar en la utilización del tabaco en las mujeres como una forma para dejar de comer, y el que una de las cuestiones que más les preocupa respecto al abandono es el posible aumento de peso.

La *cocaína* ha sido la sustancia que mayor incremento ha tenido en su consumo. Su propio apelativo como «el caviar de las drogas, la droga de los ejecutivos, el polvo de oro», ha llevado a pensar a parte de la sociedad que era una droga segura y sin riesgos para el consumidor, lo cual ha influido en su fuerte crecimiento.

En 1997 afirmaban haber consumido cocaína en polvo en los últimos 12 meses un 1,6 por 100 de los entrevistados, frente a un 3 por 100 en 2007-2008; es decir, estamos prácticamente duplicando los porcentajes, y así ocurre de una forma similar al preguntar sobre el consumo en los últimos treinta días, que en 1997 era de un 0,9 por 100 y en 2007-2008 de un 1,6 por 100. Si la pregunta es si se ha consumido alguna vez en la vida, en 1997 afirmaban haberlo hecho un 3,4 por 100 frente a un 8 por 100 en 2007-2008.

Si analizamos el consumo de cocaína por género, apreciamos cómo en la actualidad la han consumido en los últimos 12 meses un 4,4 por 100 de hombres y un 1,5 por 100 de mujeres, es decir, los hombres triplican el consumo.

En población joven estudiante de 14 a 18 años, el porcentaje de consumidores varones es de casi el doble que el de las mujeres. Así por ejemplo, en 1994 la habían consumido en los últimos 12 meses un 2,3 por 100 de varones frente a un 1,2 por 100 de mujeres. Una década después, en 2004, afirmaban haberla consumido en el último año un 9,4 por 100 de varones frente a un 5,1 por 100 de mujeres.

En la actualidad, la sustancia por la que recibimos un mayor número de demandantes de tratamiento es la cocaína. Simplemente observando este dato vemos la dimensión del problema. Así, en 1991 había en España 943 personas en tratamiento por cocaína, mientras que en 2005 esta cifra ascendía a 22.820, según datos del Observatorio Español sobre Drogodependencias.

En relación al *cannabis* se ha producido también un aumento en el consumo en los últimos años. En 1997 afirmaban haberlo consumido en los últimos 12 meses un 7,7 por 100 de la población, frente a los datos de 2007-2008, que evidencian un consumo de un 10,1 por 100.

Por sexo, el consumo de los varones duplica al de las mujeres. Así, actualmente lo han consumido en el último año un 13,6 por 100 de varones frente a un 6,6 por 100 de mujeres.

Si nos referimos a nuestra población más joven, existe una mayor proporción de consumidores varones, pero con el transcurso de los años esta diferencia se va acortando. Podemos hablar de un consumo creciente de los derivados del cannabis en el grupo de edad de 14-18 años, ya que en 1994 afirmaban haberlo consumido en los últimos 12 meses un 21,2 por 100 de chicos frente a un 15,2 por 100 de chicas, y en 2006 los datos indican que son un 31,6 por 100 de varones y un 28,2 por 100 de mujeres.

Por último, la *heroína* se ha convertido en una sustancia en desuso, disminuyendo considerablemente su consumo. A ello ha contribuido el efecto devastador que produjo durante los años ochenta e inicios de los noventa del siglo XX, lo cual probablemente «caló hondo» en la sociedad.

Recogiendo los datos de las encuestas del Plan Nacional sobre Drogas, en 1995 afirmaban haberla consumido en el último año un 0,5 por 100; una década después, el porcentaje desciende al 0,1 por 100, y así se ha mantenido en los datos de 2007-2008.

Respecto al sexo, es mayoritario el consumo en los hombres. En 1995 lo habían consumido un 0,8 por 100 de hombres y un 0,3 por 100 de mujeres, mientras que en 2005 afirmaban haberlo realizado un 0,2 por 100 de varones y un 0,1 por 100 de mujeres.

¿Qué ocurre en nuestra población joven? Por un lado, nos encontramos que es significativamente superior el consumo de chicos frente al de las chicas, y por otro, nos aparece un dato nada alentador, y es que, con el paso del tiempo, en este grupo de edad ha aumentado el consumo de heroína. Así, en 1996 afirmaban haber consumido heroína en los últimos 12 meses un 0,6 por 100 de chicos y un 0,2 por 100 de chicas, y el porcentaje es de 1,2 por 100 y 0,3 por 100, respectivamente, en 2006.

La explicación que podemos dar a estos datos es que en el futuro se podría producir un nuevo repunte en el consumo de heroína, probablemente ligado a que nuestros jóvenes no han observado los efectos de esta droga y sí los de una década anterior, los que en 1996 contestaron la encuesta y tenían de 14 a 18 años. A esto hay que unirle que las campañas preventivas, por el descenso en el consumo de heroína, no han estado focalizadas en esta sustancia durante los últimos años.

Estos cambios en los patrones de consumo han generado grandes modificaciones en los demandantes de tratamiento.

Me remontaré a mi primer acercamiento al campo de las adicciones, en 1993, cuando asistí por primera vez a una sesión de grupo con pacientes drogodependientes. El grupo estaba formado por un total de ocho pacientes, cinco de ellos estaban en tratamiento por consumo de heroína y los otros tres por problemas con el alcohol.

Pensemos que a principios de los años noventa, y dado el alto consumo de heroína de los años ochenta, los principales demandantes de tratamiento eran por consumo de opiáceos. Como hemos visto por los datos, de 1995 a 2007-2008 el consumo de heroína se ha visto dividido por 5, y eso hace que en la actualidad hayan descendido los demandantes de tratamiento por esta sustancia, y que tanto el perfil del paciente como el tipo de trabajo a realizar sean diferentes.

En línea con el cambio en el perfil de los pacientes, les aportaré varios datos recogidos de mi propia experiencia clínica, que obviamente no debemos generalizar, dado que es un dato particular, pero que nos sirve para confirmar lo anteriormente comentado.

Durante el año 2008 iniciaron tratamiento por problemas de sustancias un total de 40 pacientes; de ellos, 24 fueron por problemas de consumo de cocaína, 14 por alcohol y 2 por heroína. Se han excluido los pacientes que llevaron a cabo tratamiento por alguna adicción sin sustancia, como jugadores patológicos.

Nos referimos a la droga principal de abuso y por la que se genera la consulta, ya que por ejemplo muchos de los pacientes de cocaína tenían un consumo abusivo de otras sustancias, como alcohol.

Existen otras sustancias (cannabis, anfetaminas, éxtasis) por las que es poco habitual que lleguen pacientes a tratamiento.

Durante más de quince años, únicamente he tenido dos pacientes que recibieron tratamiento por un consumo problemático de derivados del cannabis, lo cual no implica que muchos de los pacientes, además de su droga principal, no tengan un consumo abusivo de hachís que requiera atención clínica. El problema es que no suelen percibirlo como problemático y por ello no es habitual que consulten por este tipo de sustancias.

Respecto a la edad de inicio del consumo, desde el año 1995 hasta los últimos datos recogidos existe una estabilización, no habiéndose producido grandes modificaciones (consultar tabla 1).

Tabla 1

Edad media de inicio de consumo de las diferentes sustancias entre la población de 15-65 años. España, 1995-2007/2008. (Fuente: Plan Nacional sobre Drogas)

	1995	1997	1999	2001	2003	2005	2007/08
Tabaco	15,9	16,6	16,7	16,5	16,5	16,4	16,5
Alcohol	--	16,8	16,9	16,9	16,7	16,7	16,8
Cannabis	18,3	18,9	18,7	18,5	18,5	18,3	18,6
Cocaína en polvo	21,4	21,3	21,8	20,4	20,9	20,6	20,9
Heroína	20,3	20,1	19	20,7	22	20,2	21,7

Tabla 1 (continuación)

	1995	1997	1999	2001	2003	2005	2007/08
Anfetaminas	19,2	19,4	19,2	18,8	19,6	19,2	19,7
Alucinógenos	19,3	19	19,3	18,9	19,9	19	19,9
Éxtasis	21,1	20	20,7	20,2	20,3	20,1	20,8

Anteriormente hemos descrito las diferencias que existen en el consumo de sustancias en función de la variable sexo de la persona. Para apreciar datos respecto a la evolución por años podemos consultar la tabla 2.

Tabla 2

Prevalencias de consumo de drogas en los últimos 12 meses en la población de 15-65 años según sexo (por 100). (Fuente: Plan Nacional sobre Drogas)

	1995		1997		1999		2001		2003		2005		2007/08	
	H	M	H	M	H	M	H	M	H	M	H	M	H	M
Tabaco			55,0	38,7	50,3	39,2	51,5	40,5	53,0	42,6	47,2	37,5	46,0	37,6
Alcohol	79,3	58,0	86,4	70,5	83,2	67,2	85,2	70,9	84,5	68,4	84,0	69,2	80,4	66,4
Cannabis	10,7	4,4	10,7	4,7	9,6	4,3	13,0	5,5	16,2	6,3	15,7	6,6	13,6	6,6
Éxtasis	1,9	0,7	1,2	0,5	1,2	0,5	2,8	0,7	2,0	0,8	1,8	0,6	1,6	0,5
Alucinógenos	1,1	0,4	1,4	0,4	0,8	0,4	1,2	0,2	0,9	0,3	1,1	0,4	0,9	0,3
Anfetaminas	1,3	0,7	1,4	0,4	1,0	0,4	1,6	0,6	1,1	0,5	1,4	0,5	1,3	0,3
Cocaína en polvo	2,7	1,0	2,6	0,6	2,3	0,8	3,8	1,3	4,1	1,2	4,6	1,3	4,4	1,5
Heroína	0,8	0,3	0,4	0,1	0,2	0,0	0,2	0,0	0,2	0,1	0,2	0,1	0,1	0,0
Tranquilizantes											2,6	5,2	4,7	9,1

La principal conclusión es que la proporción de varones consumidores es mucho mayor que la de mujeres, y esto es más llamativo en las drogas de comercio ilegal, donde en algunas se duplica o triplica la proporción de consumidores varones. La única excepción viene marcada por la ingesta de tranquilizantes, en la que la proporción de mujeres consumidoras duplica al de hombres.

Por último, en población joven estudiante de 14 a 18 años sigue siendo superior el consumo de sustancias de los hombres que el de las mujeres, excepto en las siguientes: tabaco, alcohol y tranquilizantes.

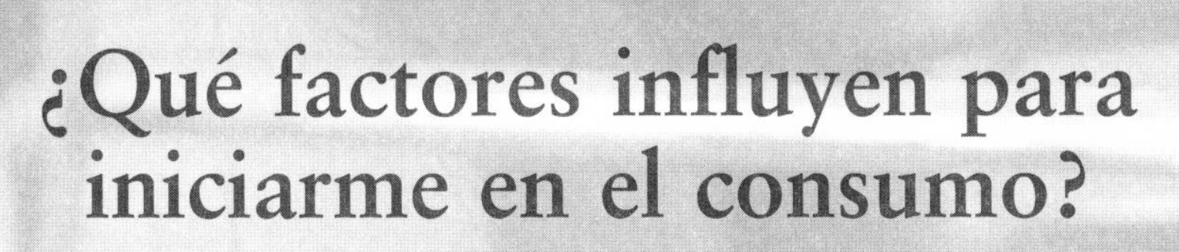

¿Qué factores influyen para iniciarme en el consumo?

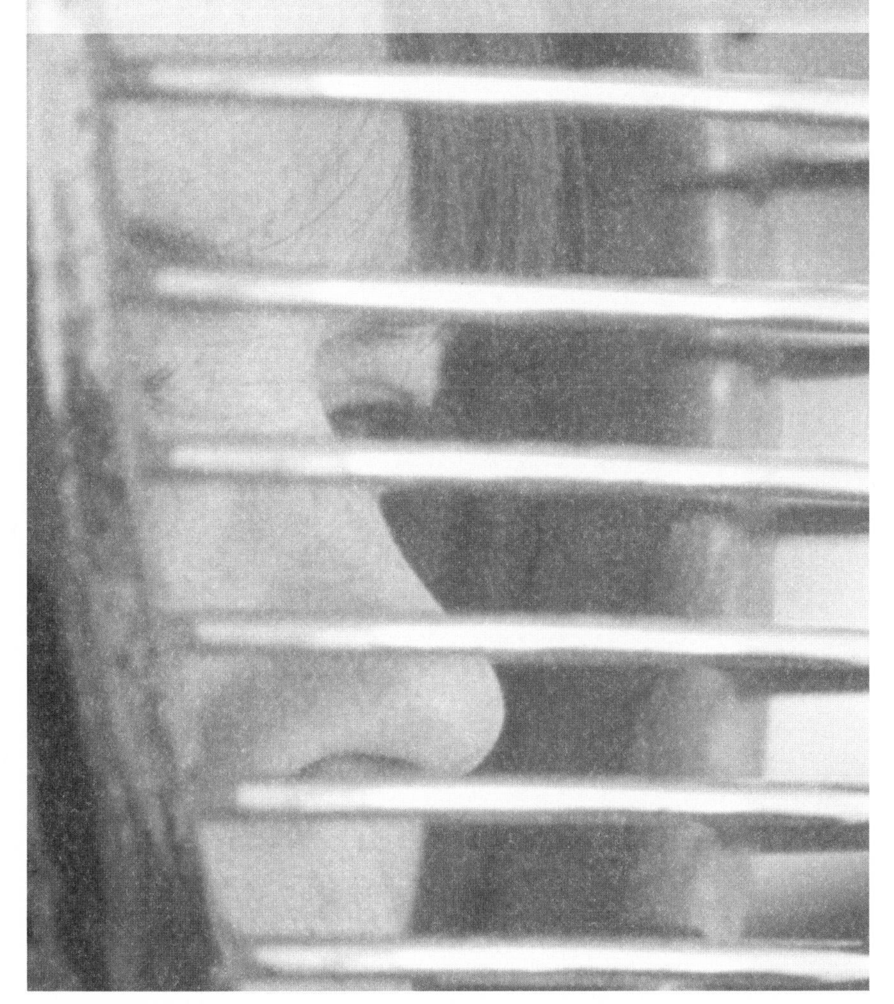

Cuando hablamos de factores de riesgo no se puede hablar de un único factor, sino de un conjunto de ellos que contribuyen al inicio y posterior consolidación del consumo.

De una forma didáctica, haremos grandes grupos para entender la multitud de factores que están implicados.

Consumo familiar

Se ha comprobado la relación entre que los padres lleven a cabo consumos y la posibilidad de que éstos sean repetidos por los hijos. Esta relación es aun más fuerte cuando son los hermanos mayores los que llevan a cabo dichas conductas. Como es bien sabido, una de las principales formas de aprendizaje es el modelado o aprendizaje por observación, y el que las figuras de referencia sean consumidoras influye en la aceptación del consumo.

Factores sociales

Nos referimos a la aceptación social que tiene el consumo de ciertas sustancias. Por ejemplo, hace años el consumo de tabaco era incluso un signo de distinción social, lo cual favorecía su experimentación. Otras sustancias, como la cocaína, en sus inicios se asociaban con el éxito, el poder, etc.

En las adicciones sin sustancias hemos mencionado cómo ciertas conductas tienen un refuerzo social, como son la adquisición de bienes materiales, «trabajar duro», etc. Cuántas veces hemos oído expresiones como «tiene de todo», «es un trabajador insaciable», visto desde una perspectiva positiva, lo cual influye en la población.

Factores personales

Existen personas a las que por *patrones de personalidad* les atrae llevar a cabo conductas de riesgo, como conducir a gran velocidad, tirarse en paracaídas, etc. Este tipo de personalidades tienen una mayor predisposición hacia el consumo de drogas como una forma de vulnerar normas establecidas, o simplemente por obtener un alto nivel de activación, «una descarga de adrenalina fuerte», como indicaba Jesús.

Hay características personales que predisponen al consumo: impulsividad, baja tolerancia a la frustración, baja autoestima, déficit en habilidades asertivas, etc.

Otro factor son las *creencias o expectativas sobre el consumo*. Javier, un adolescente, me comentaba en una sesión que «todo el mundo consume porros», y al preguntarle qué porcentaje concreto de jóvenes de 16 años como él creía que lo hacían, me indicó que un 80 por 100, mientras que los datos reflejan que con 16 años lo han consumido en los últimos 12 meses un 33,9 por 100, y en los últimos 30 días un 22,5 por 100. Si pensamos que existe un mayor número de personas que consumen una determinada sustancia, creeremos que «no será tan negativo cuando lo hace casi todo el mundo».

Por otro lado, si las expectativas sobre los riesgos las infravaloramos, «consumir cocaína genera problemas sólo si te pasas y lo haces durante muchos años», refería Joaquín. Con ello lo que hacemos es dotar al efecto esperado por el consumo de unas connotaciones positivas y negar las negativas.

La *curiosidad* es un rasgo que todos tenemos más o menos marcado. Hay un grupo de población que tienden a probar distintas actividades en su vida y tienen una mayor atracción por lo novedoso. Dichas personas van a estar más expuestas a probar las drogas, simplemente por el hecho de «ver qué pasa».

Carlos, en tono de broma pero reflejando un rasgo de su personalidad, al impartir una conferencia con adolescentes y explicarles los efectos de las anfetaminas, me decía: «No me cuentes más que, tal y como soy, ya tengo ganas de probarla para ver qué pasa», mientras el resto del grupo indicaban que los riesgos de su consumo no les hacía atractivo su ingesta.

La presencia de *factores psicopatológicos* contribuye a que exista una mayor tendencia a consumir sustancias o realizar conductas que les generen una evasión momentánea de su realidad.

También intervienen *factores neurobiológicos*, y así, en personas con alteraciones psicóticas la proporción de fumadores es mucho mayor que en el resto de la población.

Características sociodemográficas

Sexo

El sexo es un factor que determina la predisposición a consumir un tipo de sustancia u otra y también qué tipo de adicción sin sustancia es más frecuente desarrollar. En la gran mayoría de las adicciones, los varones superan a las mujeres, pero existen algunas en las que se invierte lo anteriormente comentado, como la dependencia de fármacos hipnosedantes.

Respecto a las adicciones sin sustancia, predominan en las mujeres la adicción a las compras y la sobreingesta compulsiva.

Edad de inicio

Cuanto menor es la edad de inicio en el consumo de una sustancia, mayor probabilidad existe de que se realicen nuevas pruebas, lo cual puede desembocar en que se instaure una dependencia. También es más probable que se produzca lo que denominamos el *efecto escalada*, que se caracteriza por empezar por una sustancia de las consideradas legales, para ir consumiendo otras, hasta terminar consumiendo sustancias ilegales.

Andrés verbalizaba en una sesión que con 11 años ya probó el tabaco, edad menor a la habitual de inicio, con lo que con 13 años ya estaba bebiendo alcohol y consumía cannabis, siendo con 15 cuando probó la cocaína.

Clase social

La clase social se ha mostrado como un factor determinante durante nuestra historia en relación a la probabilidad de probar una u otra sustancia.

El tabaco fue considerado durante años un signo de distinción social y su ofrecimiento era un símbolo de cortesía.

A la cocaína se la denominó «la droga de los ejecutivos»,

«el caviar de las drogas», etc. Mayte refería que en una boda de un alto nivel social, a mediados de los ochenta del siglo pasado, cuando el consumo de cocaína no estaba apenas instaurado, excepto en las clases sociales altas, «pasaron bandejas con cocaína, como algo muy chic».

En la actualidad, las clases sociales más desfavorecidas tienden a consumir *sustancias inhalantes*, como pegamentos, y opiáceos, como heroína. Las clases más altas tienden al consumo de otras sustancias, como la cocaína.

Pero lo importante es que las adicciones no entienden de clases sociales, es decir, tratamos a personas tanto de clases altas como de clases bajas en nuestras consultas.

Coste económico

Iniciarse en el consumo de cualquier tipo de droga o conducta potencialmente adictiva es muy barato, pero lo realmente devastador para cualquier economía es generar una dependencia. Reflexionemos qué puede costar beber algo de alcohol, echar una moneda en una máquina tragaperras, etc. Inicialmente se lo puede permitir la gran mayoría de la población e incluso jóvenes o adolescentes como una forma de llevar a cabo sus primeras pruebas. Incluso iniciarse en las sustancias consideradas caras resulta realmente barato.

Pensemos en un grupo de cuatro adolescentes que deciden para su salida del sábado probar la cocaína; les bastará con comprar medio gramo y esto les supondrá unos 7,5 euros por persona, cantidad totalmente accesible.

Disponibilidad

Existe una relación clara y constatada de que a mayor disponibilidad, mayor será la probabilidad de iniciarse en el consumo de sustancias.

Desgraciadamente, hay «campañas de marketing» donde el objetivo es que la disponibilidad de las drogas sea cada vez mayor. Dichas «campañas» son orquestadas por los grandes beneficiados de su consumo, los traficantes, «camellos», etc. El mercado de la droga cuenta con auténticos «profesionales» que no paran de idear estrategias para que aumente el número de consumidores o aparezcan consumidores de menor edad. Desde que lo llevan a domicilio, lo que Carlos denominaba «telecoca», es decir, la posibilidad de llamar y en menos de treinta minutos tener la cocaína solicitada en tu casa, hasta bajar el precio adulterando más la sustancia, etc.

Presión social al consumo

Conocemos la presión que ejerce el grupo de referencia. Se ha constatado que si el mejor amigo fuma existe una mayor probabilidad de convertirse en fumador.

Así, el grupo de referencia crea una presión al consumo, ya que genera una aceptación y normalización de éste.

Otra forma de presión es la producida por la publicidad, que aunque a lo largo de los años ha estado presente en patrocinios de eventos deportivos, ya sean marcas de tabaco o de alcohol, afortunadamente en la actualidad está regulada. Pero desgraciadamente todavía existen otras conductas potencialmente adictivas que se ven implicadas en dichos eventos deportivos; por ejemplo, casas de apuestas que publicitan una rueda de prensa de un futbolista.

Los programas de televisión pueden conducir en ocasiones a favorecer el consumo ante ciertas situaciones. Por ejemplo, las series televisivas donde se justifica el consumo de alcohol e incluso embriagarse ante eventos negativos. Muchas de estas series son seguidas por adolescentes.

Como conclusión, indicar que no conocemos un único factor que hayamos aislado y que sepamos que es el determinante de que unas personas se inicien y otras no en el consumo de sustancias y que favorezca el desarrollo de una dependencia. La opinión generalizada de los expertos es que se trata de una cuestión multicausal, por lo que el inicio en el consumo es un fenómeno complejo y de naturaleza multifactorial, no pudiéndose establecer una evidente relación causa-efecto.

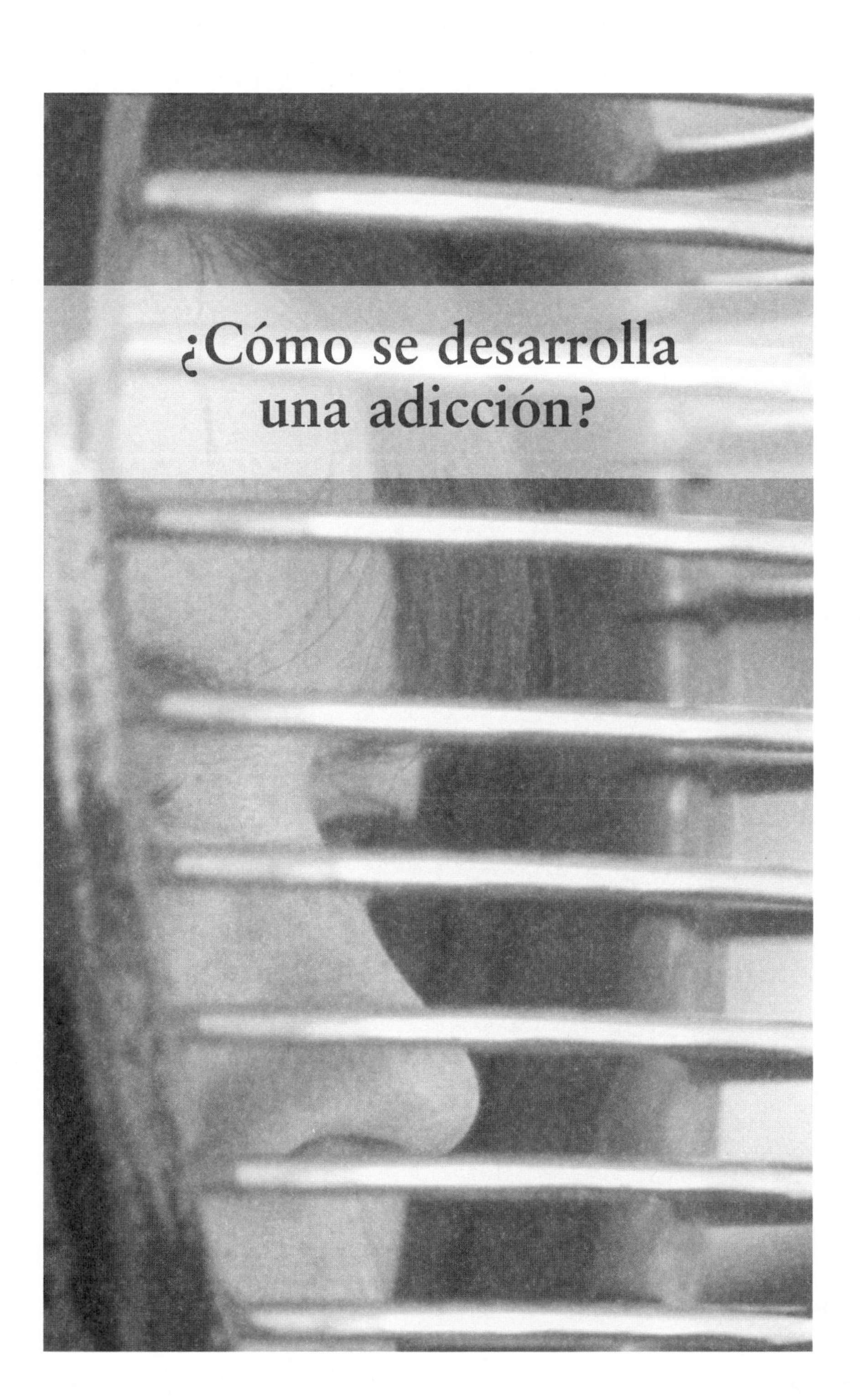

¿Cómo se desarrolla una adicción?

Para entender cómo llegamos a desarrollar una adicción expondremos cómo se consolidan las conductas que realizamos, qué determina la tendencia a repetir o no dichas conductas, etc.

En el caso de las adicciones reflejaremos cómo actos que inicialmente son puntuales y esporádicos pueden llegar a convertirse en un hábito, y a partir de ahí cruzar la barrera de la adicción.

Hay conductas que no llegan a convertirse en hábitos, ya que se realizan de una forma puntual. Así, por ejemplo, hay personas que eventualmente juegan en una máquina tragaperras, toman una copa, etc., no estando asociado este acto a unas circunstancias concretas y siendo poco frecuente en el tiempo, con lo que no se desarrolla un hábito de conducta.

Por el contrario, si alguien bebe alcohol de una forma continua ante ciertas circunstancias, podremos establecer que se está generando un hábito. Si al volver del trabajo se toma unas cervezas, se produce una asociación que es lo que favorece que se desarrolle un hábito. Esto no tiene por qué ocurrir de forma diaria, incluso es posible que los días que no tenga trabajo no se tome esas cervezas, o si está dos semanas de baja, no ingiera nada.

Si una persona cada vez que cena en un restaurante bebe vino y esto tiende a repetirlo durante tiempo, nos encontramos con un hábito de conducta. Cuando hablamos de un hábito relacionado con una conducta potencialmente adictiva, como en el caso del alcohol, puede generarse una adicción, o puede que simplemente se quede en un hábito, al estar dentro de unos límites que no generan consecuencias negativas para la persona y su entorno.

Hábitos existen muchos y muy variados, no teniendo por qué entrar en el terreno de la patología. Seguro que hemos observado individuos que cuando cierran el coche comprueban si ha quedado bien cerrado dando a la manija. Esto, por sí mismo, no tiene por qué significar que sea disfuncional, si no está unido a otras conductas, o si la acción no condiciona su vida, como sería en los casos de los trastornos obsesivo compulsivos, donde tiene que hacer esa comprobación un número de veces elevado y en todas las puertas y maletero, lo cual le lleva ser «preso» de una disfuncionalidad evidente.

En el caso de las conductas potencialmente adictivas, el hecho de que se repitan hace que el hábito vaya siendo más potente. Como sabemos, un hábito es el paso intermedio para atravesar la barrera de la adicción. Normalmente, este paso se produce de una forma lenta pero progresiva, y sin que el afectado sea consciente de lo que le está aconteciendo.

Para que se desarrolle una adicción tiene que existir un hábito previo sobre el cual se va perdiendo progresivamente la capacidad de control, y así, de ser una conducta decidida voluntariamente pasa a «dominar» a la persona, es decir, se pierde la capacidad de elección sobre cuándo llevarla a cabo.

Una vez que aparece la adicción se queda grabada en el cerebro de la misma forma que montar en bicicleta, o conducir un vehículo, y ya no podemos volver a la falta de pericia anterior aunque así lo queramos. De esta forma, si hemos desarrollado una adicción al alcohol, y transcurrido un tiempo volvemos a consumir, no empezamos de cero, de la misma forma que si sabemos manejar una bicicleta y estamos unos años sin hacerlo, al subirnos de nuevo en ella, rápidamente volveremos a llevarla con soltura.

Existe un modelo psicológico sencillo que nos ayuda a comprender qué hace que ciertas conductas se consoliden en nuestro repertorio de acciones y que otras, por el contrario, no lo hagan. Dicho modelo lo denominamos A-B-C.

La B *(behavior)* en inglés significa conducta en castellano. Una conducta es toda acción que realizamos. Así, en estos momentos estoy escribiendo este capítulo del libro, con lo cual ésta es mi conducta (escribir); sin embargo, usted ahora está leyendo, siendo su conducta (leer).

Son acciones y se caracterizan por ser visibles en la mayoría de las ocasiones. Aunque también existen acciones que no son visibles y también podemos denominarlas conductas. A éstas las llamamos internas o encubiertas.

Si ahora pienso ¡qué bien está quedando este capítulo del libro!», esto me genera una sensación de exaltación que determinará mi ánimo durante un rato.

En el caso del consumo de una sustancia, o en una «adicción psicológica», como en la ludopatía, la conducta sería cuando echamos en la máquina tragaperras.

Respecto a la C (consecuencias) es lo que sucede posteriormente a la realización de la conducta. Por ejemplo, bebo un vaso de agua (conducta) y se me quita la sed (consecuencia). Si las consecuencias que siguen a una conducta son positivas, es decir, agradables, la tendencia es a repetir dicha conducta, con lo que existirá mayor probabilidad de instaurar un hábito, pero si, por el contrario, lo que sigue a la conducta es negativo y genera un malestar, la tendencia será a no repetir dicha conducta, con lo que es menos probable que se instaure dicho hábito.

Hasta aquí parece muy sencillo, ya que si a una conducta le siguen consecuencias positivas, trataremos de repetirla, mas si le siguen consecuencias negativas, intentaremos no llevarla a cabo. Pero qué ocurre cuando a una conducta le siguen más de una consecuencia, siendo tanto positivas como negativas. A priori, la cuestión se complica. Pongamos algunos ejemplos.

Si me compro una bicicleta estática y decido hacer 30 minutos de ejercicio diario, obtendré una consecuencia positiva y es que mejorará mi forma física, pero también surgirán consecuencias negativas, como agujetas, cansancio, dejar de hacer algo que me puede apetecer más realizar, como estar tumbado en el sofá, etc.

Si quedo con un amigo para cenar y luego nos alargamos hasta las tres de la madrugada charlando, será agradable la conversación, la compañía, habernos reído juntos, pero también se generan unas consecuencias desagradables y es que dormiré poco, estaré cansado al día siguiente en el trabajo, etc.

¿Qué ocurre entonces? Cuando una conducta va seguida tanto de consecuencias positivas como de negativas, ¿la tendencia será llevarla a cabo por lo positivo que genera o intentaremos no repetirla por lo negativo que nos aporta? Para responder esta cuestión debemos fijarnos en qué consecuencias aparecen en primer lugar, ya que tendrán una mayor influencia sobre la conducta, independientemente de que sean positivas o negativas.

También debemos saber que las consecuencias no vienen determinadas únicamente por nuestro entorno, sino que son particulares y las podemos modular de forma personal.

En el caso de ir a un gimnasio, una consecuencia agradable puede ser el que me diga a mí mismo: «He realizado ejercicio y lo he pasado bien, he conocido a gente nueva, en unos días seguro que me cuesta menos...». Es decir, podemos utilizar lo que conocemos como autorrefuerzo. De esta forma me focalizaré en las consecuencias positivas, tratando de que sean las primeras que aparezcan, con lo que minimizaré las negativas, siendo así más probable que repita la conducta de ir al gimnasio.

Así, nuestros pensamientos pueden ser una consecuencia que refuerce o debilite una conducta.

Una vez tenemos claro lo que significan dos de las letras del modelo A-B-C, sólo nos falta hablar de la primera.

La A se refiere a los antecedentes, los activadores que le recuerdan a la persona el consumo, que pueden ser externos (ir a un bar) o internos (un estado emocional, como tristeza, nerviosismo, etc.). Los activadores determinan el momento en el que es más probable que aparezca la conducta.

Si pasa por delante de una pastelería y se compra un bollo, el activador es observar un escaparate y el olor que desprende, y la conducta es comprar el bollo.

Los activadores también pueden ser pensamientos. Si pienso que en la conferencia que voy a dar mañana me voy a quedar bloqueado, eso me hace sentirme nervioso, y entonces decido jugar una partida de parchís con mis hijos para distraerme. El activador ha sido pensar en la conferencia, y la conducta jugar al parchís con mis hijos.

Los activadores tienen un peso importante a la hora de instaurar, mantener o tratar de eliminar hábitos, y existen tanto los externos, que pueden ser ver un escaparate, oler los pasteles, etc., como los internos, que son los pensamientos («He tenido un día duro y me he ganado tomarme este pastel»).

Una vez que conocemos el significado de cada letra del modelo A-B-C llega el momento de relacionar lo aprendido con las adicciones.

Un jugador patológico al entrar en un local lleno de máquinas tragaperras tiene un activador de su conducta de jugar, que es el ruido de las máquinas, las luces con los distintos colores que proyectan, etc. (activadores externos), y si a éstos le añadimos pensamientos como «seguro que me toca algo», «sólo voy a echar unas monedas» (activadores internos), tenemos las dos clases de activadores que favorecen que se lleve a cabo la conducta de juego. Si esta conducta de pasar delante de unos recreativos, entrar y jugar la hemos repetido en bastantes ocasiones, ha llegado a convertirse en un hábito de conducta, que con el tiempo ha desembocado en una adicción.

Pensemos en la conducta de beber alcohol. Normalmente, las primeras pruebas se realizan con el grupo de amigos, lo cual lleva aparejadas unas consecuencias positivas, como desinhibición por el efecto, integración en el grupo, risas, sensación de euforia, etc. Como resulta agradable, cada vez que se produce una reunión de amigos para salir, o ir a un parque, será probable que tome alcohol, y esto, si lo repite durante tiempo, hará que se inicie o empiece a fortalecerse un hábito. Al beber de forma más frecuente, va aumentando la tolerancia, es decir, para conseguir los efectos anteriormente descritos, desinhibición, euforia, etc., necesita más cantidad. Al seguir aumentando el consumo empiezan a aparecer consecuencias negativas, resaca, reprimenda por parte de los padres por llegar ebrio a casa, etc., pero dichas consecuencias son posteriores a las positivas, con lo que tienen menos peso, como ya hemos detallado.

Como durante años las consecuencias positivas han sido las que más han aparecido y en primer lugar, cuando surgen las negativas, lo que se ha quedado en nuestra mente de una forma más fuerte es que beber genera consecuencias positivas. Por ello se sigue repitiendo hasta llegar a un punto en el que ya son predominantes las consecuencias negativas, y aun así seguimos repitiendo la conducta.

De esta forma, las consecuencias positivas del principio ya no son tan positivas y el consumo se enfoca en evitar situaciones negativas, como una forma de evasión o escape de la realidad que se está viviendo, o por la propia necesidad por el síndrome de abstinencia generado. Éste será uno de los indicadores de que hemos pasado la barrera de la adicción.

De esta forma conocemos los mecanismos psicológicos que determinan el desarrollo de una adicción que, junto con las bases neurobiológicas que explicamos en el capítulo «¿Qué debo saber de una adicción?», nos hará tener una visión general de cómo evoluciona ésta.

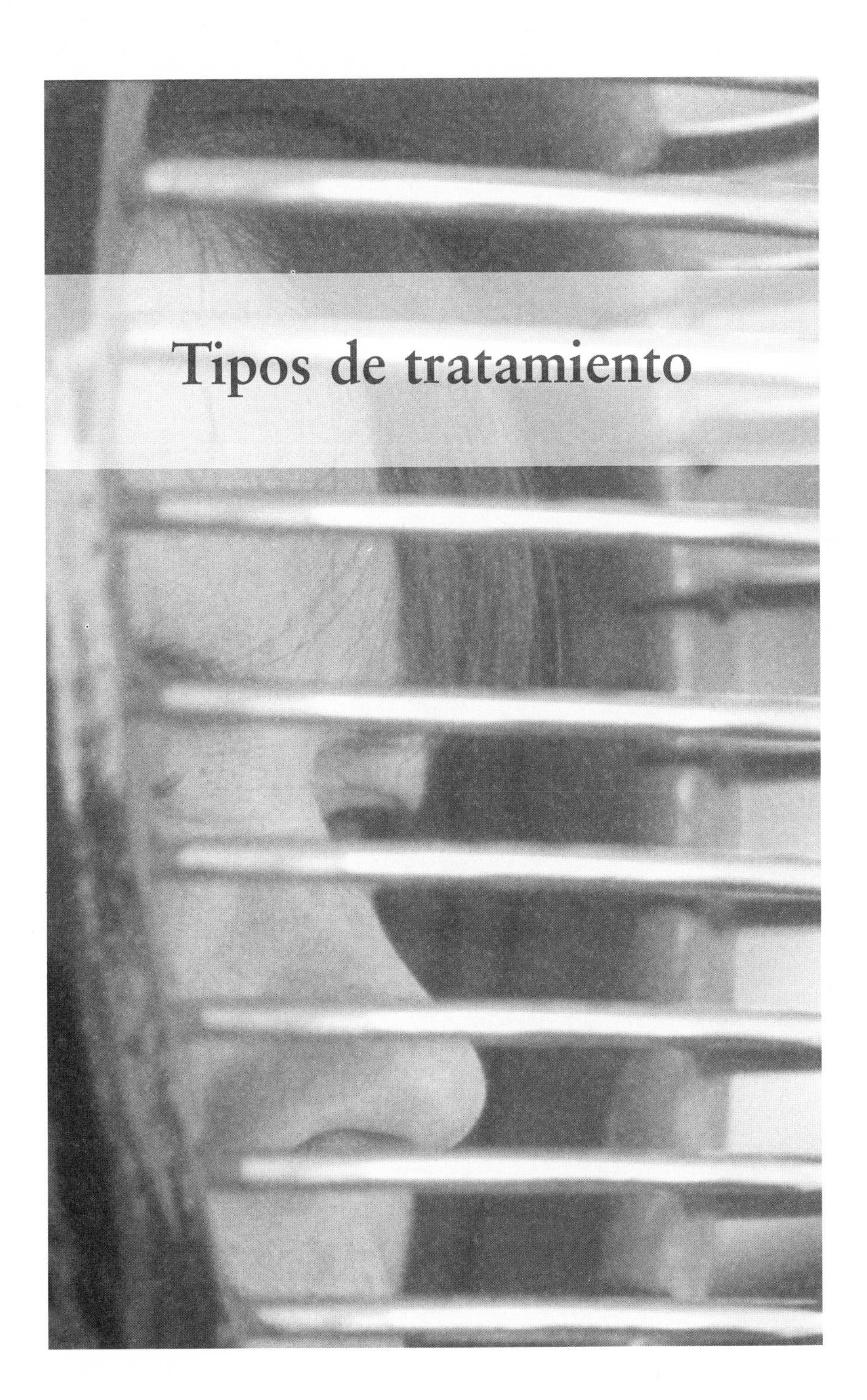

Tipos de tratamiento

Al igual que existe un marketing importante, ya que se mueve mucho dinero en torno al consumo, tráfico de sustancias, etc., los intereses económicos en el campo de las intervenciones son elevados, más en el área privada, pero también en el ámbito público, con las adjudicaciones que se realizan a entidades para gestionar recursos en drogodependencias.

La consecuencia de lo anterior es que nos encontramos con un alto intrusismo profesional, centros que «juegan» con la desesperación del paciente y especialmente de la familia, ofreciendo cuestiones que no son cumplibles, centros dirigidos por personas que pertenecen a grupos reconocidos como sectas en España, etc.

Existen los que proponen «curas milagro», y que en dos días te limpian las neuronas, o la sangre, con productos que nadie conoce, y además te eliminan los deseos de consumo, es decir, la auténtica «panacea». Obviamente, ni lo uno ni lo otro es cierto, y si fuera tan sencillo, se simplificaría mucho el trabajo, pero la realidad es otra.

Están los que falsean los resultados, o al menos tratan de engañar al público no especializado, mostrando en su publicidad datos como «un 100 por 100 de éxito en la desintoxicación», que aunque no es cierto tratan de confundir entre dos términos como desintoxicación y deshabituación. Además valoran como éxito durante la desintoxicación el que no se haya abandonado el tratamiento durante los dos días que deben estar ingresados. Cuestión difícil, por cierto, porque después de haber pagado más de 7.000 euros es improbable que no permanezcas al menos esos dos días.

Hay programas de intervención dirigidos por los que se denominan «terapeutas» que son adictos en recuperación. Una figura que puede ser un buen complemento, y digo complemento, a la actividad de un profesional de la salud (psicólogo, psiquiatra, etc.), pero no ha de ser el núcleo principal del tratamiento.

Pensemos lo siguiente: ¿Nos dejaríamos operar de una dolencia cardíaca por alguien que su experiencia es que se ha operado del corazón? Yo particularmente no lo haría de ninguna de las maneras, y supongo que su opinión será la misma. Lo que sí me gustaría es que dicha persona operada me pudiera contar su experiencia, cómo lleva su vida actualmente, cómo fue el posoperatorio, etc., pero que la operación, las revisiones, etc., me las realice el especialista.

Otros fundamentan las intervenciones en cuestiones espirituales, estando vinculados a creencias en Dios. Como describíamos anteriormente, puede ser un buen apoyo para quien sea creyente, pero nuevamente un adjunto a la terapia.

Establezcamos un nuevo ejemplo: alguien con una enfermedad y que fundamenta su intervención en la creencia en Dios. Si es creyente, le podrá ayudar rezar, hablar con un sacerdote, pero sin olvidar sus citas médicas, revisiones, llevar a cabo las convenientes pruebas médicas, cumplir con la medicación establecida, etc.

Después de todo esto parece que nos encontramos con un panorama nada alentador, pero no es así, ya que existen excelentes profesionales con una alta dedicación y experiencia, programas de intervención que trabajan con un gran rigor y dedicación y que obviamente no caen en este tipo de actividades descritas anteriormente. Pero alguien lego en la materia, y especialmente desesperado por el sufrimiento que acarrea una adicción, «se puede agarrar a un clavo ardiendo» ante cualquier posible solución. Por ello, antes de comprometerse a internarse en un centro o realizar un tipo de tratamiento, merece la pena informarse detenidamente, y si es posible con algún profesional especializado que le pueda describir de una forma detallada los diferentes tipos de recursos y cuál puede ser más beneficioso en función del perfil del paciente, insistiendo en la forma de trabajo que se realiza, tipo de profesionales, etc., para así tomar la mejor decisión posible.

Después de esta introducción, vamos a hablar de dos tipos de tratamiento: los llevados a cabo en el ámbito público y los realizados a nivel privado. Particularizando, existen tratamientos ambulatorios y los que requieren un ingreso. Y dentro de estos últimos tenemos tratamientos en los que el ingreso es de corta duración, e intervenciones donde la duración de la estancia es más extensa, en lo que se denominan *comunidades terapéuticas*.

Seguidamente nos adentramos en cada uno de ellos para conocer sus particularidades.

ÁMBITO PÚBLICO Y PRIVADO

Cada uno de ellos tiene sus características, que según el perfil de la persona puede ser una ventaja o un inconveniente.

Red pública

Dentro de la red pública existen profesionales donde cada uno desempeña su función, y nunca nos encontraremos, por ejemplo, «un terapeuta» (persona sin formación académica) realizando una terapia de grupo. Las redes públicas cuentan con profesionales de la Medicina, Psicología, asistentes sociales, etc.

No suponen un coste económico para el paciente, con lo que el dinero no es una limitación para acceder a ellas. Esto que inicialmente puede parecer una ventaja también tiene un componente negativo, ya que se ha constatado en distintos estudios que lo que no nos cuesta lo valoramos de una forma más negativa, lo cual se traduce en una menor implicación con el tratamiento.

Los tiempos de espera son elevados para algunos tipos de recursos (comunidades terapéuticas, centros hospitalarios, etcétera). He tenido pacientes con bajo nivel socioeconómico y que, por su perfil, lo más adecuado era ingresar en una comunidad terapéutica, y hasta que fueron llamados para el ingreso transcurrieron seis meses.

Belén, una compañera psicóloga, me indicó que para ingresar en el centro donde trabaja hay una lista de espera de tres meses, una vez que desde el recurso donde le tienen que valorar se decide dicha derivación.

No podemos elegir el tipo de tratamiento. Después de la valoración te indican si «pasas» a tratamiento ambulatorio, o si esperas para ser asignado a otro tipo de recurso. Esto tiene un componente positivo y es que eres evaluado por un equipo profesional que determina qué tipo de recurso puede resultar más beneficioso, pero, por otro lado, el nivel de saturación condiciona la posibilidad de acceso a cierto tipo de intervenciones.

Red privada

El coste económico supone una selección respecto al perfil del paciente que llega a este recurso. De cualquier forma, cualquier adicto que calcule el coste que le supone su adicción, verá cómo puede costearse probablemente cualquier tipo de tratamiento. Aunque donde más debemos incidir es en el coste moral, que es el que más daño le genera al enfermo y su entorno, también hay que tener en cuenta el aspecto económico. Hay que reconocer que el precio de ciertos tratamientos es elevadísimo y sólo al alcance de un reducido número de población, pero si lo comparamos con el coste de un coche u otro bien, resulta realmente barato.

Jesús rehipotecó su casa para costearse su tratamiento, siendo su nivel de implicación muy alto, cuestión que suele acontecer en casos de este tipo.

La existencia de un interés económico puede desembocar en que ciertos centros se aprovechan del estado de desesperación. Y beneficiarse de algo tan delicado como lo que estamos hablando es especialmente doloroso.

Hay tratamientos con un precio muy elevado que lo que hacen es «vender humo», y eso sí, muy bien vendido, con una estrategia publicitaria realmente espectacular, pero que a la hora de la verdad el interés por el paciente es nulo, sobre todo una vez que se ha desembolsado la cantidad económica.

Dentro del ámbito privado existen centros que pertenecen a grupos sectarios, reconocidos como tal y que manipulan ciertas variables para alcanzar sus objetivos. Así, una vez que el paciente está ingresado, le dificultan hacer llamadas, antes se comunican con el familiar para indicarle que si pone «pegas al tratamiento o las instalaciones, etc., es porque lo que desea es irse para consumir». Desgraciadamente he podido comprobar cómo se modificaba la información, con el objetivo de que el paciente siguiera en el centro y la familia continuara pagando el tratamiento.

La rapidez desde que se decide llevar a cabo un tratamiento hasta que éste se inicia es un elemento importante; así, a priori, lo más adecuado es que se inicie lo antes posible. En la red privada esto suele conseguirse de una forma casi inmediata. Pero rapidez no debe implicar precipitación, como ya hemos comentado, ya que es muy importante elegir bien.

Respecto a la elección del tipo de tratamiento contamos con todo tipo de recursos en el ámbito privado, los cuales en la mayoría de las ocasiones no están sujetos a criterios para poder acceder a ellos. Si por ejemplo un profesional indica que sería mejor llevar a cabo un tratamiento con una fase de internamiento, se puede elegir de forma ágil el que más se acomoda al paciente.

En cuanto a los profesionales, deben cumplir dos criterios: por un lado, que sean profesionales (psicólogos, psiquiatras, educadores sociales, etc.), y por otro, que estén especializados en conductas adictivas.

Con período de internamiento

Llevar a cabo un período de internamiento requiere el alejamiento del paciente de su núcleo de actividad, laboral, familiar, etc., y que desde éste se realice la intervención.

Este tipo de tratamientos suelen durar meses, con lo que se produce una interferencia en la vida de la persona, aunque, como es obvio, mayor interferencia genera la propia adicción.

Las *comunidades terapéuticas*, como su nombre indica, son comunidades de personas que comparten un mismo problema y cuyo objetivo es solucionar el abuso de sustancias permaneciendo el paciente ingresado, tratando de dotarle de recursos para llevar una vida normalizada fuera de este entorno.

Durante los años ochenta y noventa del siglo pasado tuvieron una gran proliferación en España, dado el perfil de paciente que existía, con un gran deterioro físico, desarraigo familiar, falta de habilidades sociales, con desconocimiento sobre hábitos saludables, etc.

Dichas intervenciones pueden resultar a día de hoy muy útiles para este perfil concreto de paciente, que aunque no es el predominante sigue existiendo.

Por otro lado, tenemos las *clínicas psiquiátricas,* donde también se lleva a cabo intervención con adictos. Aunque mi colaboración con este tipo de instituciones ha sido prácticamente anecdótica (no así en los anteriores recursos mencionados), la opinión de mis pacientes que han pasado por esta forma de intervención, en la gran mayoría de los casos ha sido muy negativa.

Carmen, cuando le iba a recomendar un recurso para tratar su alcoholismo me dijo: «No tendrá nada que ver con una clínica psiquiátrica, ya que lo pasé fatal cuando estuve en...».

Otros pacientes aducen los siguientes motivos: «recibíamos poca intervención», «nos atiborraban a pastillas para que estuviéramos tranquilos», «era un ambiente duro», «no me identificaba con los otros pacientes, ya que muchos tenían otros problemas muy distintos al mío», etc.

Con esto no pretendo indicar que no puedan existir clínicas psiquiátricas que realicen otro tipo de intervención, o que algunos perfiles de paciente se puedan aprovechar de tratamientos de este tipo; por ejemplo, pacientes que además de su problema de consumo presentan una comorbilidad, es decir, algún problema psiquiátrico añadido a su trastorno adictivo.

Ambulatorios

Este tipo de intervenciones se llevan a cabo en la consulta de un profesional y no requieren de una fase de internamiento.

En función de la valoración del caso, se recomendará una frecuencia semanal de sesiones; por ejemplo, una o dos visitas, de forma inicial, para ir analizando durante el curso de la intervención la secuencialización de sesiones más recomendable.

La evaluación es lo que va a determinar qué tipo de tratamiento va a ser más adecuado. Hay casos donde este tipo de intervención es suficiente, ya sea por el perfil del paciente, por el momento evolutivo respecto a su consumo, e incluso por la negativa de llevar a cabo otra intervención.

Debemos ser flexibles, y si hemos recomendado un tratamiento en una comunidad terapéutica y el paciente no lo acepta, si sigue una intervención de forma ambulatoria, será más probable que se produzcan mejoras que si no recibe tratamiento. Y si ya hay un mayor vínculo con el profesional después de pasadas varias sesiones, será más fácil, si la evolución no es favorable, tratar de volver a indicarle la conveniencia de otro tipo de recurso, ante lo cual es probable que se encuentre más receptivo.

Las intervenciones ambulatorias no implican un cambio significativo en la vida del adicto, ya que puede seguir con su trabajo, mantener su vida familiar, etc., mientras está realizando su tratamiento.

Modelo mixto

La hemos denominado así al compartir características de los dos tipos de intervención anteriores (internamiento, ambulatorio).

Requieren de un breve período de internamiento, normalmente de dos a siete días, lo cual no interfiere en la vida del paciente, pero facilita una mayor reflexión al estar alejado de su núcleo habitual. En estos días el objetivo es llevar a cabo un tratamiento que sea intenso y luego volver a su actividad habiendo implementado algunos cambios, para posteriormente realizar las sesiones ambulatorias.

Actualmente están teniendo una fuerte implantación en nuestro país, dado el cambio en el perfil de los pacientes que llegan a tratamiento. Comparten parte de los beneficios de ambas intervenciones, ya que permiten un alejamiento del entorno y además cuentan con un seguimiento ambulatorio.

Y una vez expuestos los tipos de tratamientos, la pregunta sería: ¿Y cuál de éstos debo elegir? Como dice la canción de Jarabe de Palo, «... depende, de qué depende, de según cómo se mire todo depende...». Pues eso es lo que podemos decir, dependerá del tipo de paciente, de su situación familiar, personal, laboral, económica, de su patrón de consumo, de la disposición, etc.

Por ello hemos reiterado que la mejor opción es la valoración de un profesional experto en adicciones que oriente al adicto y su familia.

Terapia de grupo y grupos de autoayuda

La terapia de grupo es un tipo de modalidad para tratar la problemática de las adicciones. Se caracteriza porque una serie de adictos se reúnen, coordinados por un profesional que es el que dirige la intervención. El especialista es el que «saca» temas a abordar, regula las participaciones, da *feedback*, etc., aunque dependerá de lo directivo que sea, habiendo casos donde la intervención del experto es menor, dando una mayor autonomía al grupo.

Presenta una serie de características que pueden servir como complemento a las sesiones de terapia individual:

a) Identificación entre sus miembros. El hecho de padecer una misma patología hace que se identifiquen con lo que otro compañero de grupo está narrando y no sentirse como «un ente aislado y raro» por lo que está viviendo.
b) El papel de los modelos. Observar cómo otras personas en sus mismas circunstancias afrontan situaciones de riesgo, tienen caídas en el consumo, resuelven conflictos familiares, etc., ayuda a aprender por modelado u observación. De esta forma, estará más precavido en el caso de observar una recaída, se sentirá esperanzado al ver un compañero que lleva años abstinente, etc. La identificación con un modelo que ha superado un problema similar facilita la adquisición de herramientas utilizadas por dicho modelo.
c) Presión positiva. El grupo puede ejercer esta presión ante por ejemplo una ausencia a una sesión. Así, puede resultar tan reactivo, o más, para el paciente una insistencia a volver al tratamiento, que si es el propio profesional el que lo realiza.
d) Apoyo social. Se establecen unas nuevas redes sociales, que están vinculadas al proceso de recuperación. Existen modelos de intervención que recomiendan

que los miembros del grupo no tengan relación fuera del contexto terapéutico, aunque la mayoría deja libertad para la propia elección de los participantes del grupo, siendo recomendables en muchas ocasiones estos nuevos vínculos establecidos.

e) Capacidad del grupo para dar recompensas o castigos. La cohesión grupal y la propia fortaleza del grupo favorecen la capacidad para ser una fuente de recompensa, o no, para sus miembros. Así, en el caso de dar positivo en un control de orina y no reconocerlo, se cuenta con la posibilidad de ser excluido de participar en varias sesiones, recibir las reprimendas verbales del resto de compañeros, o incluso una expulsión definitiva, lo cual suele generar un efecto reactivo importante.

f) Fuente de descarga emocional. Tener la posibilidad de compartir situaciones problemáticas que viven en un ambiente de seguridad resulta muy útil. Si está molesto ante la desconfianza que muestran los familiares, «sacarlo» en grupo sirve para «vomitar» esa emoción y escuchar cómo otros miembros lo han vivido, afrontado, etc.

En relación a las características de los grupos abordaremos dos cuestiones:

a) Grupo homogéneo *versus* heterogéneo. Aunque no conocemos un modelo perfecto, ni una fórmula mágica que nos asegure que formamos un grupo ideal, por la experiencia acumulada y las verbalizaciones de los pacientes, lo más recomendable son los grupos homogéneos en cuanto a la patología, es decir, que todos compartan el problema adictivo, pudiendo ser heterogéneos respecto a la edad, sexo, tipo de sustancia de abuso, nivel socioeconómico, etc.

Eva, refiriéndose a su ingreso en una clínica psiquiátrica y a las terapias de grupo que realizaban, afirmaba en una sesión: «Para mí era una situación incómoda, y veía que hablábamos distintos lenguajes, pacientes con esquizofrenia, otros con depresiones, yo con mi alcoholismo...».

b) Grupo abierto *versus* grupo cerrado. A priori, un grupo abierto es más vivo y dinámico, ya que está formado por personas con un mayor tiempo de abstinencia, mientras otros están en fase inicial. Tendrá miembros que han vivido más situaciones, estados conflictivos, etc., con lo que pueden «alimentar» a otros compañeros de grupo. Así, los más veteranos actúan como ayudantes o «padrinos», sirviendo de soporte a los más noveles, lo cual genera un beneficio mutuo.

Dado que la terapia de grupo está dirigida por un profesional, señalamos algunas cuestiones que éste debe hacer que se cumplan:

1. Hacer que se respeten las normas establecidas (horario de inicio, consecuencias por no asistencia, consumos no reconocidos, etc.).
2. Proponer áreas a abordar (prevención de recaídas, relaciones familiares, deseos de consumo, etc.).
3. Reorientar los temas de conversación, ya que es habitual utilizar tiempos para cuestiones intrascendentes, y es ahí donde el profesional debe reconducir para sacar el máximo provecho al tiempo de terapia.

4. Manejar los tiempos de exposición para permitir la participación de un mayor número de miembros en cada sesión.
5. Favorecer la existencia de un buen clima terapéutico para expresar sentimientos libremente, comentar problemas personales, etc.
6. Actuar como psicoeducadores, exponiendo cuestiones para posteriormente debatir sobre ellas.

Los *grupos de autoayuda* son grupos en los que los adictos buscan ayuda en otros con su mismo problema, no existiendo la figura de un profesional que lidera el grupo. Dichos grupos son no estructurados, carecen de un programa específico de intervención y se autogestionan a través de los propios participantes.

Comparten algunas características con la terapia de grupo, en relación a la interacción entre los miembros, redes de apoyo, aprendizaje por modelos, etc. La diferencia fundamental radica en la no existencia de un profesional de la Psicología que dirija el grupo, como hemos referido, lo cual puede generar que se verbalicen cuestiones no ajustadas a la realidad científica y que únicamente están basadas en la propia experiencia. Añadido a esto, la no existencia de un profesional de la salud mental dificulta la detección de adictos con otra patología asociada, lo cual es fundamental para recibir un tratamiento adecuado.

Conocemos pocos estudios al respecto de estos grupos, y los que hay se encuentran con grandes dificultades metodológicas, como que contabilizan los porcentajes de abstinencia, únicamente, en función de los que asisten a las sesiones, o los que responden a los cuestionarios enviados, etc.

Por todo ello contamos con datos para pensar que no pueden considerarse un recurso útil, para la recuperación, si no van unidos a una ayuda profesional cualificada. Siendo así, como un complemento a la terapia, sí se ha observado que en ciertos casos favorece el proceso de rehabilitación.

Tratamiento médico

Desde el punto de vista médico, hay una serie de áreas de intervención donde tiene su relevancia la presencia de un profesional de la medicina.

Durante la fase de desintoxicación, para la detección y tratamiento de secuelas médicas producidas por el consumo, pautando psicofármacos en el tratamiento en los casos que así lo requieran y en la educación de hábitos saludables.

La fase de desintoxicación es un período breve que, como hemos detallado, dependerá del tipo de sustancia y las peculiaridades del caso para determinar la recomendación de un apoyo médico. Hay síndromes de abstinencia más peligrosos para la salud y en los que un apoyo médico resulta más relevante, tales como los de alcohol y benzodiacepinas.

Cada una de las diferentes sustancias genera una serie de riesgos médicos asociados, por lo que es conveniente que un médico pueda valorar posibles complicaciones (problemas nasales, hepáticos, circulatorios, etc.), y desde una detección poder intervenir adecuadamente.

Ciertas sustancias favorecen la aparición de cuadros psicopatológicos, por lo que puede estar indicado recibir un apoyo psicofarmacológico. En otros casos es el propio trastorno el que favorece la aparición de un cuadro adictivo. Pacientes con fobia social y problemas posteriores de alcoholismo, o un consumo abusivo de Internet, etc. Casos como los de Antonio y Carlos, con un diagnóstico de trastorno por déficit de atención con hiperactividad, que deben recibir tratamiento para su cuadro inicial, además de su ludopatía y adicción a la cocaína, respectivamente.

Por último, desde una perspectiva médica, el profesional puede ser un recurso educativo en hábitos saludables (sueño, alimentación, ejercicio físico, etc.).

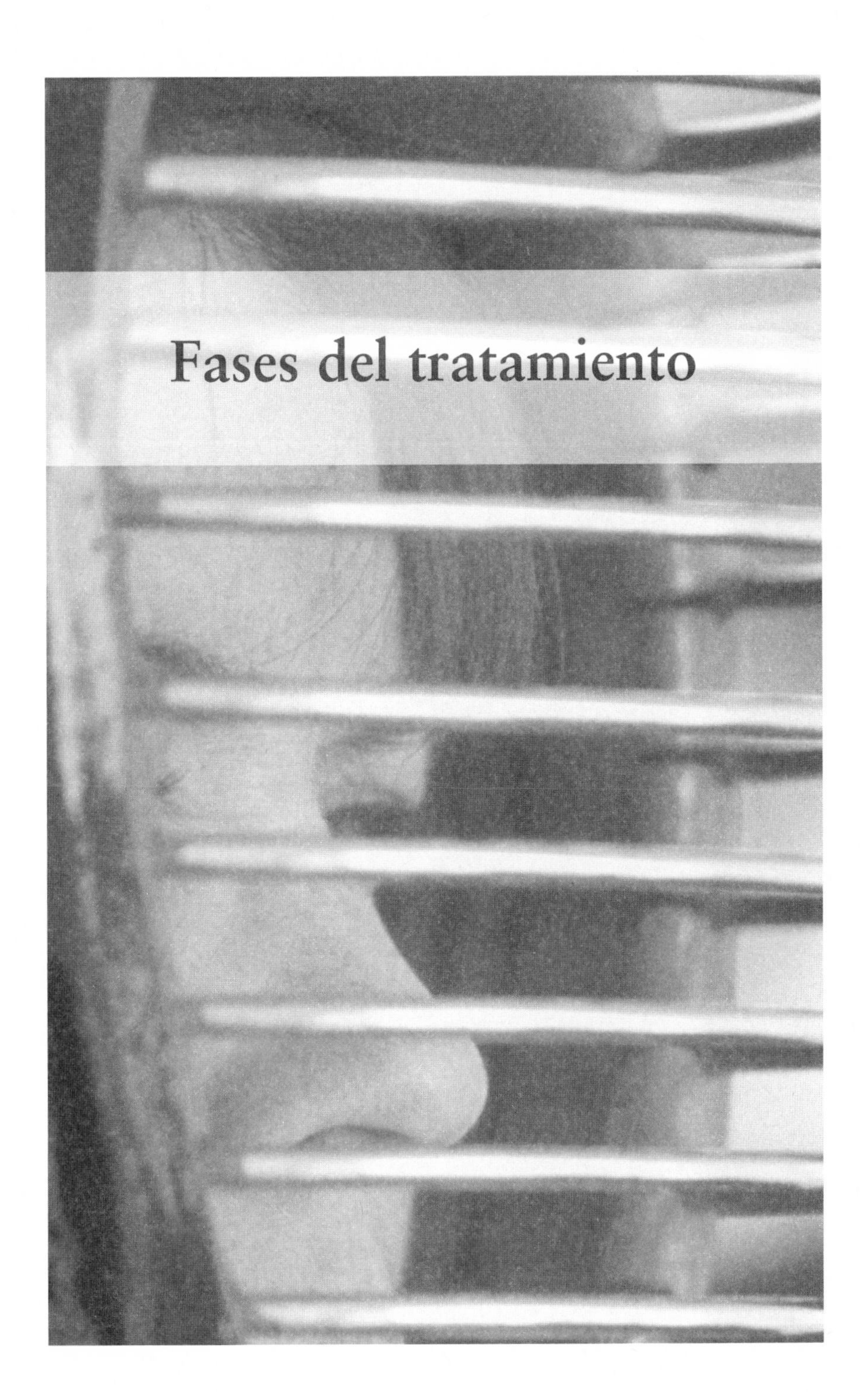

Fases del tratamiento

Desde que un adicto, o un familiar, solicitan cita para realizar una primera sesión hasta que concluimos la intervención, es recomendable implementar una serie de fases, las cuales se detallan a continuación.

Acogida/recepción del paciente

El primer contacto paciente-profesional es uno de los momentos más importantes del proceso terapéutico. Como es bien sabido, si la primera impresión es satisfactoria, esto va a favorecer una mejor disposición. En Psicología, lo denominamos efecto primacía, que es la tendencia a recordar mejor lo primero que acontece.

La primera sesión va a marcar el devenir de la intervención, ya que puede desembocar en que el paciente acuda nuevamente a consulta o tome la decisión de no volver.

Es importante mostrarnos cercanos, interesarnos por algún aspecto informal, como puede ser la facilidad para llegar a la consulta, lo cual nos sirve para «romper el hielo». Es conveniente hacerle ver cuál es nuestro rol, que no es otro que tratar de ayudarle. Transmitirle la relevancia de acudir a todas las sesiones, que no se retrase, que se convierta su tratamiento, y por ende su recuperación, en su principal prioridad.

En esta primera fase establecemos la figura de un coterapeuta, «aliado» o colaborador del proceso terapéutico. Será alguien cercano al paciente, que pueda detectar cómo va la evolución y que estará en contacto con el profesional, tanto para valorar cambios positivos como para reflejar pautas no cumplidas. Para ello, mantendrá encuentros periódicos con el profesional. Al paciente se le hará saber que no se va a vulnerar su derecho a la intimidad, evitando así ocultaciones de información, sino que se abordarán cuestiones a nivel general (asistencia o no a las sesiones, áreas que se trabajan, compromiso con las pautas establecidas, etc.), sin entrar en particularidades de su vida privada, como, por ejemplo, si durante una recaída ha mantenido una relación sexual, o cuestiones de este tipo.

Lo habitual es la aceptación de esta figura sin ningún tipo de problema. Cuando no es así, indagaremos el porqué y explicaremos las razones por las que resulta recomendable, pero si aun así no lo desea, esto no es óbice para llevar a cabo el proceso terapéutico. Pensemos que cada caso es un mundo y pueden existir razones que lo justifiquen. También durante la terapia el paciente, y en más de una ocasión ha ocurrido, puede cambiar de opinión y aceptar un coterapeuta.

No debemos ser estrictos en que sea una única figura, pero no es operativo que cuatro personas estén pidiendo información sobre un paciente, ni para éste ni para el profesional.

Recuerdo un caso en el que aportaba información al padre, madre, pareja y hermano, y aunque estaba autorizado para ello por el paciente suponía duplicar o triplicar la misma información, con posibles malas interpretaciones y el coste en tiempo que ello supone.

VALORACIÓN

El objetivo de esta fase es conocer al paciente desde el punto de vista psicológico y tener una perspectiva clara del problema adictivo.

Para ello, realizamos un recorrido por su historia vital para detectar la posible existencia de alguna patología psicológica añadida a su problema de consumo, lo que denominamos comorbilidad o patología dual.

La historia de consumo debemos conocerla detalladamente: sustancia de inicio, cantidad, situaciones asociadas al consumo, gasto económico, vía de administración, otros hábitos adictivos, períodos de abstinencia, anteriores tratamientos, etcétera.

Con algún miembro de la familia contrastaremos la información facilitada por el paciente. Además, la información de terceros facilita una visión del caso más amplia y desde otra perspectiva.

Para llevar a cabo este proceso nos apoyaremos en entrevistas, cuestionarios, autoinformes, etc. Además de las pruebas psicológicas, nos puede resultar útil realizar urinocontroles.

Añadido a lo anterior, contar con una analítica de sangre es una forma de detectar posibles daños. Así, por ejemplo, en los casos de consumo abusivo de alcohol existen parámetros normalmente elevados, como GGT (Gamma-glutamil trasferasa), que es una enzima hepática que cuando hay una concentración alta es un indicador de que algo está sucediendo en el hígado, pero sin poderse especificar claramente de qué se trata. Se estima que en torno a un 75 por 100 de los bebedores abusivos lo tienen elevado. El VCM (volumen corpuscular medio) se refiere al tamaño de los glóbulos rojos, y cuando es alto su valor, una de las posibles hipótesis es que exista un problema de alcoholismo.

Esta fase nos ocupa dos o tres sesiones, aproximadamente. Dada la importancia de contar con información lo antes posible, para acelerar la toma de decisiones, la tendencia es hacerlo en una sesión de mayor duración y así aportar resultados y orientación en la siguiente cita, para no demorarnos en exceso.

Tanto el paciente como la propia familia lo que desean es que iniciemos la intervención lo antes posible, pero entendiendo que si no contamos con una evaluación detallada y lo único que conocemos es «juego a las máquinas tragaperras», y a partir de ahí empezamos a indicarle estrategias, sin conocer más sobre el caso, lo que haríamos es seguir un libro de recetas, lo cual nada tiene que ver con las intervenciones psicológicas.

Si sufres fuertes dolores de cabeza desde hace varios meses y haces una visita médica, si según le comentas al facultativo «me duele la cabeza», éste empieza a recetarte un fármaco, seguramente no saldremos muy convencidos, ya que lo lógico es que nos pregunte desde cuándo, si se ha relacionado con algún tipo de evento, por qué zona duele más, etc., e incluso decida con la información aportada si sería recomendable hacernos alguna prueba, como un escáner o una resonancia magnética.

De igual forma, podemos hacer un símil con nuestro trabajo: tendremos que hacer una serie de preguntas, y si lo consideramos de interés, apoyarnos en alguna prueba complementaria antes de dar una recomendación sobre el tipo de intervención.

Devolución de información

Para ello dedicamos una sesión donde nos planteamos diferentes cuestiones.

En función de la información recogida, lo primero es determinar si es recomendable que el paciente lleve a cabo una intervención y de qué tipo.

En relación al tiempo de tratamiento, no es lo mismo llevar a cabo una labor psicoeducativa o de concienciación con un adolescente que ha empezado a «coquetear con alguna sustancia», que realizar un programa de intervención con alguien que ha desarrollado un problema adictivo.

En los casos de intervención por una adicción resulta interesante tener preestablecido un tiempo de intervención, incluso con un número de sesiones aproximado. Existen los siguientes motivos para que lo recomendemos. Si se produce una recaída, muchos pacientes tienden a abandonar el tratamiento. Cuando hay un compromiso de llevar a cabo una serie de sesiones, los abandonos disminuyen. Además, es más fácil para el profesional hacer una «presión positiva» para que retome el tratamiento: «Habías establecido este compromiso inicialmente, y esto es un indicador de que las cosas no están yendo bien, ¿por qué no nos vemos y valoramos qué está ocurriendo y cómo podemos afrontarlo?...».

Cuando la evolución es positiva está la propensión a pensar: «ya está todo hecho», «si llevo dos meses sin consumir, estoy curado». «Bajar la guardia» y creer que «todo» está conseguido, es un motivo de recaídas, por exceso de confianza. Por ello, establecer un tiempo de sesiones nos permite recordar al paciente que puede estar en esta situación y que es recomendable que continúe con el tratamiento hasta completar los objetivos marcados.

Planteamiento de objetivos

Antes de iniciar la intervención debemos plantearnos cuáles van a ser los objetivos de ésta. Los objetivos han de ser alcanzables y realistas, valorando las dificultades para conseguirlos.

Los definiremos, junto con el paciente, por lo que el trabajo es como el de un equipo, ya que si el profesional se plantea un objetivo y el paciente otro diferente, cada uno remará en una dirección, con lo que no hacemos otra cosa que dar círculos y no llegaremos a la orilla. Si tenemos claro que el paciente es el principal actor, cuanto más conozca hacia dónde nos dirigimos, mayor será su implicación.

A modo de ejemplo, mostramos los objetivos planteados para el tratamiento de Luis.

Objetivo principal:

- Conseguir una abstinencia mantenida en el tiempo, de alcohol y cocaína. Acordamos inicialmente seis meses, para posteriormente reevaluar.

Para lograr este fin nos planteamos los siguientes objetivos específicos:

- Recibir una psicoeducación (aportarle información que ayude a una mayor concienciación) respecto a su problema de consumo de cocaína y alcohol.
- Reducir el nivel de activación mediante el entrenamiento en técnicas de relajación.
- Reestructurar distorsiones o modificar errores de pensamiento («nunca voy a poder salir de esto», «toda mi vida es una mierda», etc.).
- Aumentar la autoestima y autoconfianza.

- ❑ Manejar sentimientos negativos como ira y culpa.
- ❑ Disminuir la dependencia de tus padres para adquirir una mayor autonomía.
- ❑ Intervenir con tu pareja y padres para mejorar los niveles de comunicación. Para ello los haremos partícipes de la terapia.
- ❑ Eliminar la red social asociada al consumo y favorecer la recuperación de relaciones anteriores a la adicción.
- ❑ Generar unos adecuados hábitos de salud a nivel de alimentación, sueño, etc.
- ❑ Recuperar la actividad laboral.
- ❑ Llevar a cabo alguna actividad lúdica de las que frecuentaba anteriormente, como volver a su equipo de fútbol.
- ❑ Desarrollar estrategias para el afrontamiento de situaciones conflictivas para así prevenir recaídas.
- ❑ Establecer un compromiso temporal de tratamiento, el cual establecemos en un año.

Intervención

Una vez tenemos los objetivos definidos, la misión es tratar de alcanzarlos, y para ello, desde el campo de la Psicología, utilizamos estrategias que nos ayudan a facilitar este proceso al paciente y a la familia.

La intervención no debe ser lineal, sino muy flexible, dado que cuando trabajamos un objetivo, pueden surgir otras cuestiones relevantes a abordar que nos hacen modificar el curso de la intervención. Esto es extremadamente frecuente, ya que tratamos con personas.

A Juan Carlos, cuando estábamos haciendo un repaso de las estrategias abordadas durante el tratamiento, le vino una multa por un importe de 2.000 euros por tenencia de cocaína, algo que había acontecido hace más de un año, por lo que hubo que manejar esta situación y las emociones que acontecieron.

Respecto a estrategias concretas de intervención, podemos consultar el capítulo sobre «Herramientas psicológicas de intervención».

Seguimiento

Una vez alcanzados los objetivos planteados, ya con una mayor periodicidad en las sesiones, resulta positivo realizar un seguimiento para comprobar si en el tiempo surge alguna dificultad.

Algunos pacientes deciden no llevarlo a cabo. Sin embargo, la experiencia nos demuestra que los que completan esta fase presentan una mejor evolución.

Supongamos una persona diagnosticada de un cáncer, la cual fue valorada en su momento, recibió un tratamiento médico y posteriormente es citada para llevar a cabo sesiones de revisión y comprobar que todo sigue «en orden», y así, ante la más mínima irregularidad, intervenir lo antes posible para evitar que se convierta en algo más grave.

Desde este mismo modelo toman fuerza las sesiones de seguimiento, durante un tiempo establecido, enseñándole a identificar cuestiones que le acercan al consumo, sin necesidad de que éste se produzca, recordándole estrategias abordadas, etc.

Ellos mismos pueden hacerse sesiones adicionales. ¿Cómo?, pues recordando lo que hemos trabajado durante el curso del tratamiento. Así, durante las sesiones es recomendable que traigan un cuaderno y que tomen notas, escriban reflexiones de las terapias, etc., para poder consultarlo en cualquier momento.

Tanto si realizan el seguimiento como si no, al terminar la intervención, un buen recurso es facilitarle un *e-mail* de contacto con el profesional. Éste es un medio que a los pacientes les resulta más fácil utilizar. Así se les motiva para que en momentos señalados, por ejemplo Navidades, o cuando cumplan un tiempo en abstinencia, se pongan en contacto.

Además de la alegría que genera que pacientes se sigan acordando después de cierto tiempo, pensemos en el efecto de recordatorio que tiene para ellos. No están escribiendo un *e-mail* sin más, sino que de forma rápida están recordando que estuvieron en tratamiento, los cambios que se produjeron y adónde les conduciría nuevamente volver a su patrón anterior, por lo que entendemos que tiene un efecto terapéutico.

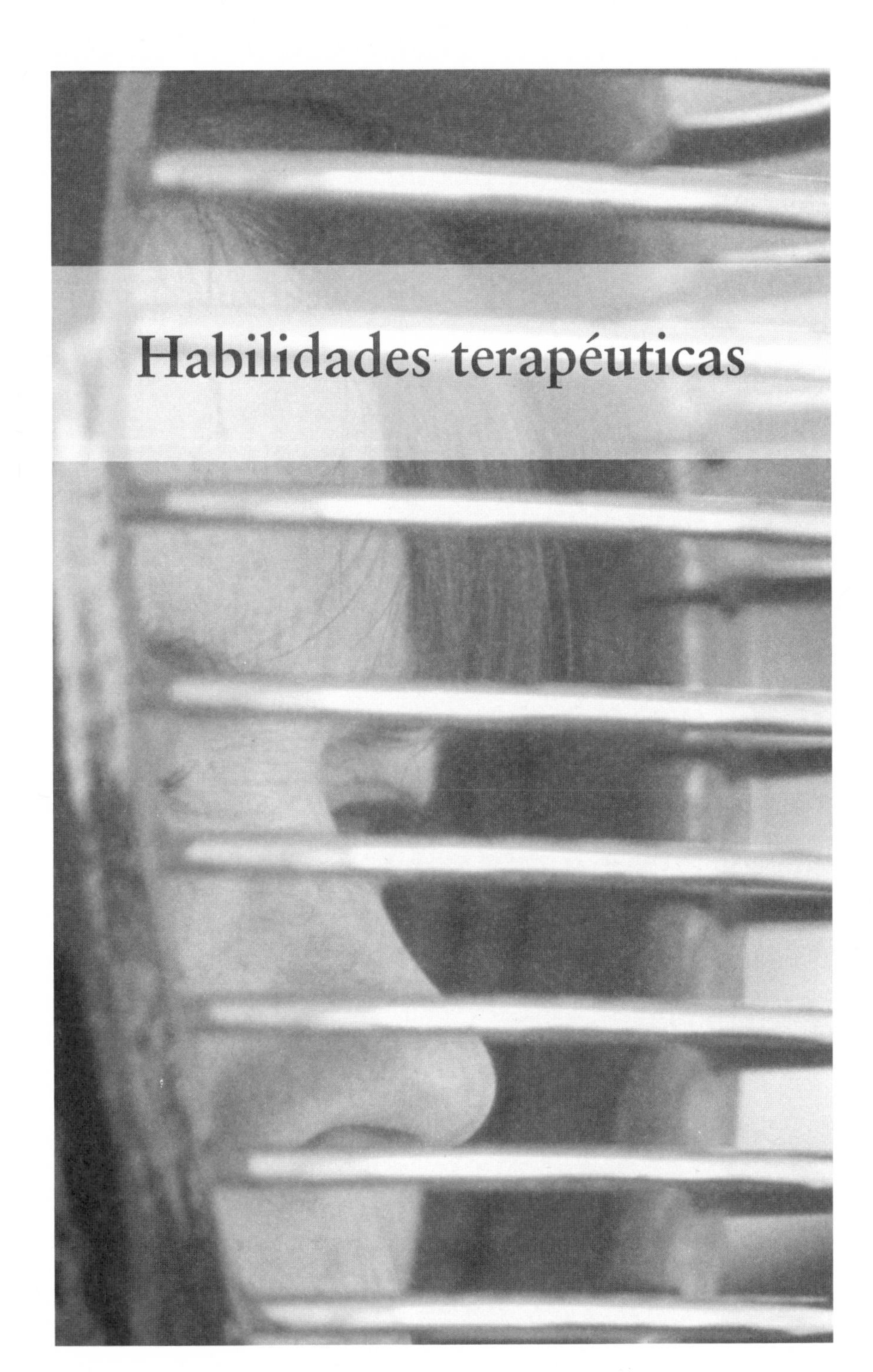

Habilidades terapéuticas

Desde que recibimos una primera llamada para solicitar información hasta que concluimos la intervención existen una serie de habilidades terapéuticas que debemos poner en funcionamiento.

Contamos tanto con habilidades técnicas o profesionales como con habilidades a desempeñar en la interacción terapéutica.

Una cuestión importante es actuar de una forma sencilla, no tenemos que «lucirnos» con tecnicismos, sino llegar al paciente, y la mejor forma es «bajando al ruedo», es decir, poniéndonos a su nivel, tanto en la forma de explicarle conceptos, ajustándonos a su nivel educacional, como rompiendo la barrera de «yo soy el que sé y tú tienes que estar de acuerdo, y si no, es que estás equivocado...».

Recurrir a autorrevelaciones respecto a dificultades para afrontar alguna situación y cómo lo hemos hecho puede suponer un acercamiento al paciente. Las autorrevelaciones las utilizamos en momentos puntuales y ante cuestiones concretas, dado que el objetivo no es ir detallando de forma continua cómo actuamos, como si tuviéramos que ser un modelo a seguir.

Hay otra habilidad terapéutica que influye en generar confianza, y es que te vean cómodo y relajado durante la intervención. Para transmitir estas sensaciones influyen cuestiones como:

- Que sea un ámbito de actuación con el que disfrutes. Para muchos profesionales es un área más de su intervención, y hay terrenos donde uno se encuentra más cómodo que en otros. Si no me siento especialmente seguro tratando algunos trastornos, ya sea por falta de experiencia o por cualquier otro motivo, lo ideal será derivarlo a otro profesional.
- El tiempo de experiencia es otro factor que ayuda a generar confianza, pero esto no se puede adquirir de ninguna otra forma que con tiempo. La experiencia nos ayuda a valorar cuestiones desde una posición más serena y reflexiva, lo cual no significa perder la pasión por el trabajo desempeñado.

Aceptar y demostrar al paciente que no tenemos por qué saberlo todo nos da credibilidad. En una sesión, Juan Ramón preguntaba sobre el porcentaje de personas que acuden a consulta por adicciones que lo hacen por dependencia de la cocaína. Mi respuesta fue: «Lo consulto y en la próxima sesión te doy datos», y así lo hice.

Seguidamente se detallan otras actitudes que favorecen que se establezca una buena relación terapéutica.

Empatía

Por empatía se entiende la capacidad para ponernos en el lugar del otro y desde ahí tratar de entender sus pensamientos, conductas y emociones. Durante las intervenciones, mostrarnos empáticos ayudará al paciente a «conectar» antes con el profesional.

Hace cinco o seis años, realizando una supervisión a una colega de profesión, que se estaba iniciando en el campo de las drogodependencias, ocurrió lo siguiente.

En un intento por generar empatía, utilizó, con unos padres que estaban expresando su dolor por las situaciones vividas con su hijo por su adicción, la siguiente frase: «Sé por lo que estáis pasando»; lo cual produjo el efecto contrario, ya que la respuesta del padre fue: «¿Y cómo lo sabes?». Dicha frase sólo sería acertada en el caso de utilizar una autorrevelación, al haber vivido un proceso similar al que nos están describiendo. De cualquier forma, resultaría inadecuada, dado que cada persona lo vive de una forma diferente. Por ello, en situaciones de este tipo preferimos recurrir a frases como: «Entiendo que debe ser muy duro lo que estáis viviendo», «Cuestiones similares a las que me estáis indicando, me las han comentado otros padres y he visto lo duro que se les hacía», etc.

CALIDEZ

Cuando un adicto, o su familiar, acuden a la consulta de un profesional es porque están sufriendo y se sienten incapaces de solucionar el problema sin ayuda de un experto.

Esto implica contar lo que les está ocurriendo, es decir, «desnudarse emocionalmente» ante alguien que les resulta desconocido. Por ello, hemos de generar una ambiente en el que se sientan respetados, evitando la realización de juicios morales.

Tenemos que transmitir el interés por ayudarles y que se evidencie en conductas concretas que muestran que durante el tiempo de sesión es lo más importante que tenemos «entre manos».

Iñaki comentaba sobre un profesional al que acudió: «Parecía que se había tragado un sable, se mostraba distante y cortante en el trato», lo cual condicionó la intervención.

Santiago afirmaba: «Mientras le estaba contando algo me di la vuelta y observé que se había quedado dormida, lo cual ya me hizo dudar si en otras sesiones habría ocurrido lo mismo».

Es posible que ambos especialistas tuvieran unos amplios conocimientos técnicos, pero estas cuestiones contribuyeron a que la evolución de la terapia no fuera positiva, con el consiguiente abandono de ésta.

Autenticidad

Nos referimos a expresar de una manera clara y sincera opiniones y emociones, aunque ser claro no significa decir todo lo que se nos viene a la cabeza, ya que durante el curso de la terapia tendremos que recurrir a la diplomacia y al don de la oportunidad para expresar ciertas cuestiones.

Si en una primera fase de la intervención dudamos de algo que nos está expresando el paciente y lo indicamos claramente, puede generar un rechazo, que no será el mismo que cuando ya tenemos una relación terapéutica más consolidada.

Si los pacientes nos perciben como ambiguos, dando mensajes con doble sentido, con sonrisas forzadas, etc., se generará una barrera difícil de franquear.

Establecimiento de roles

Al hablar de los roles nos referimos al papel que van a ocupar durante la relación terapéutica, tanto el paciente como el profesional.

Iván, en la primera sesión, al mostrarle una actitud cercana y utilizando habilidades anteriormente mencionadas, comentó: «Entonces tú y yo vamos a ser como dos buenos colegas». De una forma cálida le hice entender que en una relación de amistad existe una bidireccionalidad, es decir, el apoyo es mutuo y que en este caso «mi misión es ayudarte a ti y tu entorno». Además, en una amistad no tiene por qué existir un conocimiento técnico y una experiencia clínica sobre un área concreta, como las adicciones. Por ello, lo que se hará es dar consejos, que en muchos casos serán muy adecuados, pero nuestra labor es algo más compleja, e implica que una de las partes (profesional) conoce una serie de estrategias que se las aportará a la otra (paciente) para ayudarle en su proceso de recuperación.

Respecto a la familia, en ocasiones depositan en el profesional la esperanza de la recuperación de su ser querido. Tanto en el lado positivo, cuando la evolución es favorable y te dicen «gracias a ti ha salido mi hijo adelante», como cuando en una primera sesión refieren que «depende de ti que se recupere, eres nuestra última esperanza», les indicaremos que como expertos somos un vehículo más para su recuperación y que ellos también contribuirán, pero es el adicto el que resultará fundamental en todo este proceso.

Hablar del papel de cada uno durante la terapia implica definir las normas de la intervención. Por ejemplo, cómo serán las sesiones (aunque seamos flexibles, es el profesional el que lleva la dirección de éstas), la duración (contamos con un tiempo limitado), ausencias y la implicación que tendrán, etc.

Herramientas psicológicas de intervención

Aceptación del concepto enfermedad/adicción

Antes de adentrarnos en este interesante concepto, reseñar la dificultad para catalogar las adicciones como enfermedades por parte de la población, y considerarlas como un vicio que debe ser tratado con fuerza de voluntad. Esta influencia nos viene de las concepciones morales, las cuales consideraban al adicto como una persona débil y carente de voluntad.

Un adicto, sin lugar a dudas, es un enfermo, ya que se ven comprometidas en mayor o menor medida las tres dimensiones de los estados de salud: la biológica, la psicológica y la social. La definición que hace la OMS (Organización Mundial de la Salud) indica que la salud es un estado de completo bienestar físico, mental y social.

Revisemos algunas cuestiones que se plantean los pacientes durante el curso del tratamiento, descriptivas de no tener interiorizado su problema de adicción. «¿Una vez que finalice el tratamiento podré consumir de forma controlada?». «He pasado por una mala etapa en mi vida, pero yo no soy alcohólico, ya que no tengo temblores, y puedo estar sin beber algunos días sin ningún problema», etc.

Dado que se trata de un punto tan sumamente amplio, lo abordaremos desde la generalidad, para terminar con cuestiones específicas.

Si analizamos cuáles son los síntomas característicos de una adicción y para ello consultamos los manuales al uso DSM *(Manual diagnóstico y estadístico sobre trastornos mentales),* o los criterios ICD *(Clasificación internacional sobre enfermedades),* aparecen una serie de factores que describen lo que se entiende por una dependencia, pero a la hora de exponérselo al paciente de una forma sencilla podemos indicarle que si cumple algunos de estos síntomas, tendremos que plantearnos la existencia de un problema adictivo, ya sea en mayor o menor medida, que hace recomendable llevar a cabo una intervención.

Tolerancia

Como ya hemos comentado, es la capacidad que genera el organismo para necesitar una mayor cantidad de sustancia para obtener los mismos efectos. Si hacemos un recorrido por su historial de consumo, lo más probable es que haya ido aumentando progresivamente las cantidades, hasta en la actualidad mantener un consumo elevado.

Síndrome de abstinencia

También lo desarrollamos, en el apartado de terminología básica, como uno de los conceptos básicos a tener en cuenta.

Cuando partimos de un consumo mantenido en el tiempo de una droga o conducta de la que se ha desarrollado una dependencia y se produce la ausencia de ésta, se genera una necesidad, ya sea física o psicológica, de llevarla a cabo.

Si mantenemos la creencia de que un síndrome de abstinencia es el característico del «mono» de la heroína, muchos pacientes verbalizarán: «Yo no tengo síndrome de abstinencia. A mí no me dan temblores o dolores cuando no consumo...».

Tanto en algunas sustancias como en las adicciones psicológicas, el síndrome de abstinencia es muy sutil, al ser más mental que físico. De cualquier forma, como lo físico y lo psicológico no se pueden aislar, en los casos donde se convierte en una obsesión suele ir acompañado de manifestaciones físicas, sensación de «bola en el estómago», palpitaciones, etc.

Consecuencias negativas

Los adictos tienen alteradas, en mayor o menor medida, las principales áreas de su vida (familiar, laboral, personal, ocio, relaciones sociales, salud, etc.).

Desde un planteamiento minimizador suelen considerar que «no me han echado del trabajo, así que no tengo problemas en el área laboral». Si ésta fuera la conclusión, estaríamos haciendo una lectura muy simple y negando la realidad, ya que si tenemos en cuenta ausencias al trabajo, retrasos, falta de motivación, etc., valoraremos si realmente es un área alterada o no. Así llevamos a cabo un proceso similar con el resto de áreas, dado que muchos pacientes únicamente identifican el problema ante una consecuencia «desastrosa».

Quique se reía al contarle este ejemplo, pero me indicó que le sirvió para entender sobre su adicción. «Supongamos que el primer día que llegaste a consulta y después de presentarnos te pido que extiendas el brazo, saco un martillo, te golpeo la mano y acto seguido doy por terminada la sesión. Lo más probable es que no volvieras, pero en el hipotético caso de que repitieras y la conducta por mi parte fuera la misma, es decir, darte un nuevo martillazo, ¿entonces repetirías?». «No extendería el brazo, te devolvería el golpe...», afirmaba. Ninguna de las contestaciones en la línea de acudir nuevamente a consulta.

Desde este ejemplo pudimos reflexionar sobre su adicción. «¿Qué es más doloroso, un martillazo en un brazo o destrozar tu vida como me has indicado que lo estás haciendo?». La contestación fue: «Obviamente es más doloroso estar desilusionado en mi trabajo, ver menos a mi familia, estar arruinando la economía doméstica, sentirme un fracasado, etc.».

Los pacientes, a pesar de las consecuencias negativas que tienen, siguen repitiendo la conducta de consumo, lo cual es explicable desde su adicción.

Alteración/ruptura de valores

Definir los valores nos podría abocar a entrar en disquisiciones éticas y llevarnos un tiempo importante. De una forma sencilla podemos afirmar que los valores son «los motores» de nuestra vida interior. Así, cuando cumplimos con un valor establecido, nos sentimos a gusto, mientras que el no cumplimiento nos afecta negativamente.

Una forma técnica de entender los valores es recurrir al concepto de disonancia cognitiva. Dicho término se refiere al estado de tensión interna que se produce cuando un comportamiento entra en conflicto con el sistema de creencias. Por ello, tendemos a estar en consonancia entre lo que pensamos y cómo actuamos. Así, si me considero una persona pacífica y un paciente me indica que no le ha agradado la sesión y le insulto, amenazo, etc., cuando recapacite sobre mi actuación, me sentiré dolido por ver cómo he reaccionado y porque acabo de alterar un valor.

En esta línea, nos encontramos pacientes que afirman que les gusta mucho cuidarse y sin embargo consumen sustancias que dañan su organismo, lo cual es una clara disonancia. Es positivo que señalemos dicha disonancia para intentar que el paciente modifique su conducta, con el objetivo de reducir aquélla. Existe otra forma de reducirla, nada positiva, pero frecuentemente utilizada por los adictos, que es minimizar las consecuencias o negarlas.

Cuando se desarrolla un proceso adictivo, los valores quedan anulados o al menos alterados. Veamos algunos ejemplos:

Susana, paciente con problemas de alcoholismo, manifestaba en una sesión: «Soy muy mala madre porque he llevado a mi hijo en el coche en más de una ocasión habiendo bebido cantidades importantes de whisky». Como podemos apreciar, uno de los síntomas de su adicción era la alteración de un valor, para ella fundamental, como es el cuidado de su hijo.

Ismael, para mantener su alto consumo de cocaína, llevaba a cabo robos en oficinas, accesorios de coches, etc., cambiándolo en el poblado por cocaína. Durante el curso del tratamiento se mantuvo abstinente y por ende no cometió ningún acto delictivo. Así, un valor para él importante, como es el respeto a lo ajeno y al esfuerzo que cuesta conseguirlo, se alteraba durante su fase de consumo, retomando dicho valor durante el tratamiento y posterior seguimiento.

Pérdida de control

Cualquier persona puede sufrir una pérdida de control respecto a un propósito que se haya puesto. «Tenía idea de beber una copa, pero la noche se alargó y me tomé cuatro.» La diferencia con un adicto es que se produce con una gran frecuencia, mientras que al consumidor no problemático esto le ocurre de forma puntual y notando que tiene un mayor control sobre la conducta.

Esto se ve manifestado en ejemplos como los siguientes: estar convencido por la mañana de no beber nada durante el día y llegar a la noche habiendo tomado cuatro cervezas, media botella de vino y tres combinados, o hacerse el propósito de únicamente beber un par de cervezas con los amigos al salir de trabajar y terminar consumiendo una alta cantidad de alcohol y cocaína.

Consumo con el propósito de conseguir el efecto

Se refiere a tomar la sustancia o llevar a cabo cierta conducta de una forma reiterada y sistemática para algo diferente al propio disfrute que puede suponer su consumo.

Imaginemos un consumidor no problemático de alcohol que se toma dos copas de vino en una comida, valorando el sabor, el tipo de vino que está degustando, etc. Sería muy diferente esas mismas copas, cuando las estamos utilizando para relajarnos, vencer la timidez, evadirnos de problemas, etc., dado que estos consumos es más fácil que se conviertan en problemáticos.

En general, para determinar que existe un problema adictivo, el consumo o la conducta han de ser mantenidos en el tiempo. Si nos basamos en momentos puntuales, podríamos decir que una gran proporción de la población tienen un consumo de alcohol problemático, son compradores compulsivos, se acercan a conductas bulímicas, etc. Por ejemplo durante las Navidades, ya que comemos en exceso, hacemos compras sin medida, nos excedemos con el alcohol, etc., pero obviamente con estos datos no podemos diagnosticar un cuadro adictivo.

Una vez detalladas las características que presenta una adicción, a priori puede resultar sencillo, si uno se ve identificado con varias de las cuestiones planteadas, establecer la existencia de una adicción o enfermedad, pero antes de ello es importante detenernos en algunos términos que por sus connotaciones sociales peyorativas pueden hacer que el paciente sufra un rechazo a su aceptación.

Uno de los objetivos de las intervenciones es que el paciente acepte que tiene un problema, pero ¿es necesario que se reconozca como adicto, alcohólico, enfermo? Hay casos donde el simple entendimiento de tener una enfermedad, que se llama alcoholismo, les resulta útil para comprender su trastorno. Enrique, después de una serie de sesiones, afirmó: «Está muy claro, tengo una enfermedad que se llama alcoholismo que me lleva a hacer cosas inadecuadas bajo su influencia, y que el condicionante es que no puedo volver a tomarlo...». En esta misma línea, José Antonio refería: «Está claro, por lo que hemos hablado, que tengo una enfermedad que se llama adicción a la cocaína, la cual debo tratar...».

Pero esta aceptación no siempre es tan sencilla, ya que el término drogodependiente, alcohólico, adicto, etc., tiene una carga peyorativa impregnada socialmente que genera en el paciente un rechazo a identificarse y por ende a retar cuestiones que nos planteamos en la terapia: «Eso les ocurre a los alcohólicos, no a mi, ya que yo no estoy tirado en la calle...».

Existen términos utilizados, a lo largo del tiempo, que se han modificado por sus connotaciones negativas.

Una de las primeras clasificaciones que se hicieron sobre retraso mental en el año 1910 refería que los que no superaban un cierto límite intelectivo eran considerados débiles mentales y calificados de idiotas o imbéciles, en función del nivel de deficiencia.

Si en la actualidad un profesional, después de evaluar a un niño, le dice a los padres: «La conclusión es que su hijo es un débil mental y más concretamente un idiota», entenderíamos fácilmente la reacción de esos padres. A día de hoy, se utilizan palabros como retraso mental, término que no posee la misma carga lingüística y es más fácil de aceptar, aun con la lógica y consabida dificultad.

Otros términos, como impotente, para referirnos a personas que poseen problemas de erección, están siendo eliminados de la jerga técnica. Acuñamos otros como disfunción eréctil, o simplemente describimos lo que está aconteciendo: «Está teniendo problemas de erección que son debidos a... y la forma de abordarlo será...». Obviamente, no le diremos: «Es usted impotente».

Cuando trabajamos para que un paciente interiorice su adicción, utilizamos frases como «según hemos valorado, y por lo que me has contado, está claro que tu relación con el alcohol, o con el juego... es problemática, por lo que es recomendable tomar medidas para cambiarlo».

La aceptación de la anterior descripción suele ser alta. De esta forma conseguimos el objetivo que buscamos, que reconozca que tiene un problema y que hay que afrontarlo.

Una vez reconoce que tiene un problema con la sustancia o conducta adictiva, abordamos otro concepto, la *cronicidad de las adicciones*. A priori, este concepto puede ser mal entendido y desmoralizar al paciente, aunque la pretensión no es ésa, sino que conozca mejor lo que es su proceso adictivo y que esto le ayude desde una posición preventiva.

En una de mis primeras participaciones con un grupo de drogodependientes tomó la palabra un adicto en recuperación (término utilizado en personas que han pasado por un proceso adictivo y que en la actualidad se mantienen abstinentes), que llevaba cuatro años en abstinencia. Su testimonio versaba sobre cómo había sido su proceso de recuperación, dificultades que se había encontrado, beneficios en su vida, etc. Cuando estaba finalizando su intervención, Paco le comentó al grupo: «Todo adicto tiene un mandril dentro y ese mandril lo vamos a llevar el resto de nuestra vida, la cuestión es no alimentarlo, ya que cuando el mandril toma fuerza, es decir, cuando uno está consumiendo, lo único que le importa al mandril es seguir consumiendo y le da igual la familia, los amigos, el trabajo, los valores propios, etc., lo único que desea es que lo sigas alimentando. Pero cuando iniciamos un programa de tratamiento lo empiezas a debilitar y si sigues una serie de pautas, se hará más débil, pero nunca muere. Con el tiempo podemos tenerlo anestesiado, incluso en coma, pero no debemos alimentarlo, que para mí sería frecuentar ciertos lugares con determinada gente, etc., porque pase el tiempo que pase se despertará, y si se despierta, se corre el peligro de que llegue a agarrarte nuevamente...».

Ésta es una de las reglas básicas de las adicciones, concienciarse de que ese mandril va a seguir ahí, no teniendo por qué condicionar en nada la vida, pero si realizamos conductas que lo activan, entonces puede surgir la recaída y una vuelta a patrones anteriores de vida.

Otro enfoque ilustrativo para abordar el concepto de cronicidad es introducir el término alergia. Si soy alérgico a cierta comida o ciertos fármacos, debo conocerlo y a partir de ello tomar medidas preventivas. Un alérgico a ciertos antibióticos no tiene por qué condicionar en nada su vida, excepto que no puede consumir el fármaco al que es alérgico, para evitar una reacción adversa.

Las medidas preventivas que ha de asumir un alérgico a un fármaco pueden ser: llevar una chapita a modo de colgante que refiera a lo que es alérgico, indicar a los médicos la alergia cuando le recetan algún fármaco, leer la composición de cada nuevo medicamento que vaya a tomar, etc. Estas medidas son fáciles de cumplir y no condicionan la vida de la persona.

La mayoría de los pacientes lo entienden e interiorizan, como en el caso de Teresa, la cual afirmaba: «Si el alcohol me sienta mal, es decir, me lleva a hacer cosas que están fuera de lo que deseo..., entonces he de pensar que es como si le tuviera alergia y que no debo volver a consumirlo. Además tengo que tomar una serie de medidas preventivas que me ayuden a no volver a estar "preso de él"».

Dos procesos característicos en las adicciones y que dificultan el reconocimiento son la negación y minimización.

El adicto suele negar realidades evidentes entrando en un bucle de mentiras, las cuales llega en ocasiones hasta creerse él mismo.

Alejandro, después de hacerle un urinocontrol y dar positivo en cocaína, negaba haber consumido, alegando que «este cacharro debe estar equivocado». Si conseguimos que termine reconociendo el consumo, aparece posteriormente otro fenómeno, la minimización: «es que sólo ha sido una raya», «únicamente lo he chupado un poco»; o la justificación: «es que me la ofrecieron insistentemente, pero va a ser la última».

Sentimiento de culpa

Cuando un adicto inicia una intervención presenta un gran sentimiento de culpabilidad, asociado a las consecuencias del consumo.

¿Cómo abordarlo? El objetivo a conseguir es reconfortarse consigo mismo, y para ello debe ser capaz de perdonarse. Para ayudarle en este proceso detectamos diferencias entre cómo actuaba antes (en fase de consumo) y cómo actúa ahora (una vez lleva un tiempo abstinente), para comprender que ahora es libre de sus actos, mientras que antes era el «mandril» el que controlaba su vida.

Al igual que Susana, a la que mencionamos anteriormente, Carmen en una sesión lloraba amargamente recordando episodios en los que con su hija en el coche había conducido después de haber bebido alcohol y tomado tranquilizantes. Durante dicha sesión se definía igualmente como una «mala madre».

El trabajo consiste en que interiorice que no es que fuera «una mala madre», sino una enferma, a la que su adicción le conducía a alterar los aspectos más importantes de su vida, y que si realmente fuera «una mala madre», tendría comportamientos similares en la actualidad, estando abstinente, lo cual no acontecía.

De cualquier forma, es entendible que se sienta dolida por la conducta que ha tenido, lo cual no debemos tratar de modificarlo, pero sí descargarla del sentimiento de culpa y que comprenda el porqué de sus actos en la época de consumo.

En la gran mayoría de los casos, un adicto sabe lo que está haciendo, pero su voluntad se ve disminuida, e incluso, en ocasiones, anulada.

A nivel legal se considera que, en general, la capacidad cognitiva está conservada, es decir, sé lo que hago, pero que la volitiva, es decir, la voluntad, está gravemente afectada. La excepción la encontramos en las intoxicaciones plenas (se refiere a la intoxicación que impide a la persona que la padece comprender la ilicitud del hecho o actuar conforme a esa comprensión) y en el consumo de ciertas sustancias, por ejemplo alucinógenos.

Javier, en su primera sesión, comentaba: «Llegué a golpear a un policía tras haber consumido una alta cantidad de alcohol y cocaína». Dicho acto «chocaba frontalmente» con sus valores de vida. Así, cuando le contaban cómo había actuado afirmaba que era imposible, porque «yo no soy así».

Otra de las cuestiones a abordar es lo que denominamos *facturas del pasado*. Para ello revisamos las actuaciones llevadas a cabo fruto de la adicción, de las que se siente dolido, y valoramos si existe alguna forma de poder subsanarlo. Si hemos tenido una actitud violenta, una contestación inadecuada, ya no podemos «echar marcha atrás», pero sí pedir disculpas y explicar lo que «me estaba pasando». En ocasiones no es posible, dado que ha ocurrido con personas que no son conocidas, o con las que no mantiene ya contacto. En estos casos, reconocerlo, e incluso escribirlo solicitando esa disculpa, puede reconfortar al paciente.

Las consecuencias no han de ser «tapadas» por la familia o personas cercanas. Sobre esto insistiremos en el próximo capítulo dedicado a la familia.

Deseos de consumo

Dado que los deseos de consumo pueden aparecer durante el curso del tratamiento, conocerlos, determinar ante qué circunstancias pueden surgir y estar dotados de estrategias para afrontarlos, será de gran ayuda para vencerlos.

Veamos algunas características que comparten:

a) Se desencadenan por un factor situacional y/o emocional.
b) Es normal que ocurran, pero tienden a disminuir en frecuencia y en intensidad.
c) Hay que estar preparados para afrontarlos.
d) Si no se refuerzan (consumiendo), tienden a extinguirse con el tiempo.
e) Cada deseo «vencido» es un paso adelante en el proceso de recuperación.

Cuando queremos abandonar un hábito es fácil que, en ciertos momentos, aparezcan deseos de realizar la conducta, lo cual no es un indicador de estar llevando una evolución desfavorable, sino que hay una serie de factores que nos recuerdan que cuando ellos aparecían lo siguiente que surgía era el consumo. Por ello, detectar cuáles son los activadores que recuerdan el consumo para así «levantar la guardia», es decir, generar estrategias de afrontamiento, es una labor a realizar durante el curso del tratamiento.

Revisemos los factores que los precipitan:

Situacionales (lugar, personas, actividades)

Es importante conocer si había un lugar concreto, personas asociadas al consumo, y si cierta actividad era para el adicto un precipitante para ingerir la sustancia o realizar la conducta adictiva.

Respecto al lugar, nos encontraremos habitualmente múltiples asociaciones: entrar en un pub concreto, la casa de un conocido, etc.

En la actualidad, la mayoría de adictos que acuden a terapia consumen en casa, en el lugar de trabajo, lo cual dificulta la realización de lo que denominamos en Psicología control estimular, que es estar inicialmente lo menos expuesto posible al lugar que nos recuerda el consumo.

Santiago, en su última fase, consumía mayoritariamente en su despacho. En estos casos, ¿qué hacemos? No podemos indicarle, sin más, que cambie de trabajo, o que solicite un cambio de destino, pero sí sugerirle que realice modificaciones en su despacho, para que no le recuerden de una forma tan intensa el consumo. Puede cambiar la ubicación de la mesa de trabajo, modificar algún adorno, etc. Santiago, tras realizar pequeñas modificaciones, comentaba: «Con los cambios que he hecho en mi despacho, ya no me recuerda de igual forma el consumo de cocaína».

En relación a las personas, compañeros de consumo, lo habitual es que al inicio, y cuando todavía no se ha desarrollado la adicción, se lleve a cabo en grupo, para posteriormente ir aislándose, realizando el consumo en solitario. «Me recluía en un hotel y no paraba de consumir», refería Dani, siendo esto muy frecuente en estadios avanzados.

Cuando hablamos de compañeros de consumo utilizamos el término «compinches de consumo», que son todas las personas con las que el adicto se relaciona y cuyo vínculo únicamente está justificado si se consume. Lo recomendable es perder el contacto con los «compinches» al iniciar tratamiento.

¿Cómo abordar si algún amigo es consumidor? Lo primero a valorar es qué tipo de relación existe, y a partir de ahí exponerle que ha dejado el consumo, analizando cuál es su reacción. Si hay una relación de amistad, la reacción será de apoyo a la decisión tomada, reforzando las consecuencias negativas que estaba observando en él y respetando el hecho de no consumir en su presencia. Si, por el contrario, el amigo ha desarrollado un problema de dependencia, las reacciones suelen ser muy variadas, pero normalmente irán en la línea de las típicas conductas de un adicto, es decir, negando y minimizando: «Hombre, si tampoco era para tanto lo tuyo, es que estabas un poco descontrolando». Incluso cuando algún paciente, después de un tiempo en abstinencia, le ha sugerido al amigo seguir sus pasos y realizar un tratamiento, nos encontramos contestaciones del tipo «bueno es que yo no tengo un problema», «yo lo controlo», etc.

En general, cuando la recomendación viene de alguien que ha vivido un proceso similar tiene un efecto más reactivo.

Al ser un amigo, y de forma preventiva, lo recomendable será que se relacione con él en situaciones no asociadas al consumo, por ejemplo tomarse un café una tarde si anteriormente este evento no ha sido de consumo para ambos.

También hay actividades asociadas, como ir a un concierto, que recuerdan el consumo. En un principio, hasta que «cojamos fuerza», es decir, tengamos más consolidada nuestra recuperación, contando con un mayor repertorio de estrategias de afrontamiento, es conveniente prescindir de dichas actividades. Aunque la idea es que con el tiempo realice cualquier conducta y que su recuperación la viva como algo agradable y no como una limitación de actividades, porque si no, «corremos el riesgo» de vivirla como «una condena»: «No puedo hacer esto, no puedo...». Pensemos que su única limitación es no volver a consumir.

Enrique, tras conocer la estrategia del control de estímulos, dejó de frecuentar un bar, donde consumía cervezas. Después de un tiempo de tratamiento verbalizó: «Echo mucho de menos ir a ese lugar, pero me da miedo por si vuelvo a tomar alcohol». Tras estas palabras hicimos un análisis de la situación. Enrique describía: «Cuando salía del trabajo, y antes de subir a casa, me pasaba por este bar, siendo mi momento de relax. Pedía una cerveza, la cual me la acompañaban con unos magníficos pinchos, y como era una hora tranquila mantenía una agradable conversación con el camarero con el que comparto afición por la música».

Como podemos apreciar, lo especial de esta situación no son las cervezas, sino que a Enrique le «servía» como un momento de relajación después de su jornada laboral, degustaba unos buenos pinchos y mantenía una interesante conversación con el camarero.

Al haber transcurrido unos meses de abstinencia y mostrar mayor «solidez» que al principio del tratamiento, volvió a visitar dicho bar, con la única diferencia de consumir una bebida no alcohólica. La recomendación fue que se focalizara en todas las cuestiones que había señalado como positivas (momento de relajación, degustar los pinchos y conversar con el camarero). La única advertencia fue que, probablemente, los primeros días sintiera como si algo le faltara, pero que con el tiempo se acomodaría al nuevo hábito, hacerlo sin alcohol. Y así lo empezó a hacer, sintiéndose contento por realizar una actividad reforzante, pero sin comprometer su recuperación.

En esta misma línea, Mercedes comentaba: «Cuando bebía, una de las cuestiones que me resultaban gratificantes era tomarme el aperitivo en la terraza de mi casa, especialmente los días soleados».

De igual forma, analizamos lo positivo: era su momento de relax y descanso después de realizar una serie de tareas, le encantaba tomar el sol y lo hacía mientras leía un libro, una de sus grandes aficiones. De esta forma continuó con dicha conducta, haciéndolo con bebidas isotónicas, disfrutando de «mi momento de relax». Si hubiera prescindido de esta actividad, por un largo período de tiempo, la recuperación la sentiría como un coste y no como un proceso sencillo, natural y especialmente reforzante.

De ambos ejemplos podemos concluir la importancia de minimizar al máximo los costes de dejar el consumo, tratando de consolidar nuevos hábitos de conducta sin la sustancia o conducta problema.

Emocionales

Es frecuente que el consumo de la sustancia, o la conducta a la que hemos desarrollado una dependencia, se haya asociado a diferentes estados emocionales. De forma muy genérica, podríamos diferenciar entre positivos y negativos.

Hay pacientes que cuando algo les sale bien lo han asociado a una «celebración» que implica consumir, mientras que en otros casos, ante estados de ansiedad, ánimo depresivo, aburrimiento, etc., recurren a la sustancia como una forma de afrontamiento de dicho estado.

Chema relataba: «Temo cuando mi jefe me felicita por los buenos resultados al cerrar una operación importante, ya que me genera un estado de exaltación que me lleva a acudir a un pub cercano, tomarme unas cervezas, ir a un prostíbulo, consumir cocaína y terminar apareciendo al día siguiente en mi casa con un gasto económico tremendo y un gran sentimiento de culpa».

En la otra cara de la moneda, tenemos casos que ante situaciones negativas, amortiguan el dolor, consumiendo. Una de las vivencias más dramáticas es la pérdida de un ser querido; dicho proceso requiere pasar por lo que denominamos un duelo. Durante el duelo aparecen una serie de sentimientos, desde tristeza, rabia, en ocasiones culpa, etc. Como sabemos, el consumo «funciona» en el corto plazo, es decir, nos puede «anestesiar» estos sentimientos.

Víctor, comentaba: «Al perder a mi padre en un accidente de tráfico empecé a consumir cocaína en solitario; antes sólo lo hacía algún fin de semana y de forma lúdica. Cuando llegaba a casa y sentía tristeza, consumía mientras jugaba a unos videojuegos, notando que mi mente se quedaba en blanco». Esto empezó a repetirlo diariamente desarrollando una dependencia de la cocaína y dejando de sentir las emociones que le tocaban vivir por la pérdida súbita e inesperada de un ser tan cercano. La consecuencia es que, añadido a su adicción a la cocaína y todos los problemas que le ocasionó, terminó viviendo el duelo de una forma retardada cuando inició su proceso de recuperación.

Ángel verbalizaba: «Ahora, después de dos años desde que murió mi padre, le estoy llorando, ya que hasta entonces lo había vivido con cocaína...».

Tony, después de un año de la muerte de su madre, afirmaba: «No le había llorado hasta ahora, me acuerdo mucho más de ella y me alegro de estar viviendo esto, ya que lo anormal era lo que me pasó al estar consumiendo cocaína».

Recordemos que la droga anestesia las emociones, pero ciertas vivencias traumáticas, si las ocultamos, tarde o temprano terminan saliendo, y en ocasiones de una forma inadecuada, por no haberlas vivido en el momento «en el que tocaba».

Sin llegar a casos tan extremos como los descritos anteriormente, es habitual encontrarnos con pacientes que ante una discusión, algún conflicto laboral, etc., su recurso es acudir a la sustancia o la conducta adictiva, para «tapar lo negativo que estoy viviendo», lo cual genera una consecuencia que podemos deducir fácilmente y es que se desacostumbran a vivir emociones negativas.

PREVENCIÓN DE RECAÍDAS: ILUSIÓN DE CONTROL Y AUTOENGAÑO

Una vez identificados los factores detonantes de un recuerdo de consumo (situacionales y emocionales), el objetivo es conocer cómo prevenir una recaída.

Las recaídas empiezan mucho antes de producirse la conducta de consumo, lo cual debe servirnos para conocer los indicadores para prevenirla. Si, por ejemplo, hemos establecido unos nuevos hábitos de conducta y empezamos a descuidarlos, podemos hablar de que estamos «incubando» una recaída. La forma de detener este proceso es utilizando las estrategias aprendidas durante el curso del tratamiento.

Veamos la forma de explicar a un paciente cómo se produce una recaída fuera del contexto del consumo.

«Supongamos que estás en tu trabajo y sabes que tu pareja está sola en casa, y se te pasa por la cabeza que ahora podrías mantener relaciones sexuales con ella. Sería una idea, la cual analizando las complicaciones que se pueden generar por abandonar tu puesto de trabajo, probablemente igual que viene se irá. Pero si avanzamos, es decir, empiezas a darte mensajes como "por un día que me vaya del trabajo no va a pasar nada, nunca lo hago..., digo que me siento enfermo y ya está...", y mientras mandas un mensaje a tu pareja insinuándole que te apetecería... Seguidamente, hablas con tu jefe y le dices que te sientes mal y que tienes que irte a casa... En ese momento ya no es una simple idea, sino un deseo de tener relaciones sexuales. Si seguimos avanzando y vas en el coche imaginando lo que vas hacer, llegas a casa, empezáis a besaros y a desnudaros... En ese momento, parar todo el proceso y volver a la oficina resultaría extremadamente complicado».

Con este ejemplo ilustramos que cuanto más avanzamos, más difícil es parar el proceso, ocurriendo de igual forma en las conductas de consumo. Esto es lo que denominamos *cadena de recaída*.

La cadena de recaída se basa en los pensamientos y conductas que realizamos y nos acercan al consumo. Éstos son propios de cada paciente, pero intentaremos analizar algunos procesos que en adicciones presentan ciertas similitudes.

Respecto a los pensamientos, contamos con dos procesos cuya presencia hemos identificado en un gran número de casos, por lo que se considera de interés profundizar en ellos: la ilusión de control y el autoengaño.

Ilusión de control

Este término se utiliza con jugadores patológicos y se refiere a la creencia errónea que sufren los ludópatas al pensar que el resultado de jugar, por ejemplo a una tragaperras, depende de su habilidad, cuando esto no es así.

Por otro lado, también utilizamos este vocablo para describir la idea distorsionada del adicto acerca de su capacidad de control sobre la sustancia o conducta.

La ilusión de control surge tanto en fase de consumo como cuando llevamos tiempo en abstinencia.

En la fase activa de consumo hay frases que son habituales escuchar y que justifican el consumo... «yo controlo y puedo dejarlo cuando quiera...». La pregunta sería: «¿Y por qué no lo haces, si debes dinero, tu relación de pareja se está deteriorando, te has alejado de tus amigos de siempre...». La respuesta es sencilla: «No lo dejas, porque eres preso de una adicción».

También aparece cuando está abstinente, siendo entonces el planteamiento: «Ahora sí podría de vez en cuando consumir y hacerlo de una forma controlada».

Añadido a lo que describe la literatura especializada en adicciones al respecto, sobre la no existencia de dicha posibilidad, la experiencia de numerosos profesionales consultados va en la dirección de que cuando se hacen pruebas tratando de controlar el consumo, suelen acontecer dos tipos de recaídas que dependerán tanto de factores personales como de las características de la propia adicción.

Una la podríamos denominar «caída en picado». Se produce un descontrol desde el primer momento, con grandes consecuencias. Ésta, al menos, rompe la idea sobre la ilusión de control.

El otro tipo de recaída es más sutil, ya que se produce de una forma lenta, pero progresiva, conduciendo a pensar que no le va a generar nuevamente problemas.

Si un alcohólico, después de un tiempo abstinente, vuelve a tomar una cerveza y consigue tomar sólo una, tenderá a pensar que lo controla. Si en otro momento se toma una o dos, podrá decir que mucha gente lo hace y que es un consumo controlado, pero la tendencia es ir acortando los espacios y aumentando las cantidades.

Hay un mito que no ayuda a romper este proceso y consiste en pensar que un alcohólico una vez toma algo de alcohol, de forma instantánea tendrá que tomarse, por ejemplo, diez copas. Es cierto que éste es un tipo de perfil, pero el más habitual es el que reinicia el consumo con cierto control.

La experiencia nos confirma que los pacientes que han intentado, después de haber desarrollado una adicción, tener un consumo controlado terminan volviendo al patrón de consumo problemático que tenían anteriormente.

En algunos casos incluso sobrepasan el consumo anterior, influidos por el sentimiento de fracaso al haber intentado «salir» de la adicción y verse de nuevo inmersos en ella.

Hace unos años conocí a Anna, una mujer que rondaba los 60 años, de nacionalidad extranjera y con una dependencia del alcohol.

Al hacer la valoración describe que sus problemas con el alcohol le llevaron a estar hospitalizada por problemas hepáticos y a partir de uno de esos ingresos se replanteó dejar de beber. Ahondando en su caso nos encontramos que anteriormente había estado abstinente aproximadamente seis meses (cuando observemos un tiempo sin consumo hemos de plantearnos qué fue lo que le llevó a consumir nuevamente). Anna refiere que después de esos meses de abstinencia echaba de menos tomarse una copita de whisky antes de las comidas, como un aperitivo. Este patrón de consumo de una bebida de alta graduación como aperitivo es más característico de poblaciones nórdicas. Así refiere que cuando no tenía problemas con el alcohol disfrutaba tomando «una copita» en el porche de su chalé.

Nos encontramos con un *recuerdo eufórico de la sustancia*. Con ello nos referimos a los recuerdos de momentos agradables vividos que no van acompañados de las consecuencias que el alcohol ha generado.

La cuestión es que Anna se plantea si sería capaz de volver a tomar whisky de forma controlada. Su patrón de consumo habitual era de casi una botella diaria. Las dudas se centraban en si al volver a consumir algo, por mínimo que fuera, retornaría rápidamente a un consumo tan alto como anteriormente hacía. Reflexionemos sobre lo que hizo.

«Cogí un vaso, eché un poquito de whisky y con una jeringuilla me puse unas gotitas en la boca, dejando pasar el día. Tras observar que sólo había consumido unas gotitas y que eso no me había llevado a tomarme la botella, decidí volver a repetirlo, aumentando un poquito más la cantidad en la jeringuilla, volviendo a observar que no consumía más a lo largo del día. Esta conducta la repetí unos días más, hasta que decidí tomarme una copita en el aperitivo de la comida. Así estuve durante unos días hasta que pensé: "Si lo hago en el aperitivo de la comida, por qué no lo voy a hacer también en el de la cena, que al fin y al cabo son los momentos que recuerdo como más agradables de consumo", y así me mantuve un tiempo más. Entremedias surgió alguna cena de amigos, cumpleaños, etc., ante lo cual me sugería: "Si estoy bebiendo de forma controlada, seguro que lo puedo hacer también en esas situaciones". Y así sucesivamente fui aumentando mi consumo. Aproximadamente, después de dos meses y medio estaba bebiendo exactamente igual que antes de plantearme la abstinencia, es decir, casi una botella de whisky diaria.»

De este ejemplo podemos concluir:

1. En abstinencia es habitual que aparezca, en algún momento, recuerdo eufórico. Carlos afirmaba que «claro que ha habido momentos en los que he disfrutado consumiendo», lo cual no lo rebatimos, pero lo que sí dudamos es que esos momentos pueda volver a recuperarlos, cuando ya se ha instaurado una adicción, sin sufrir nuevamente los aspectos negativos.
2. Una vez que rompemos una barrera, no consumir, ir destruyendo las siguientes es más sencillo. Así, pasar de la jeringuilla a la copa, de una a dos, a permitirnos el consumo en una celebración y de ahí a recuperar el

patrón de consumo que teníamos anteriormente, es cada vez más fácil.

3. Cuando observa que en esas primeras pruebas no se «dispara» el consumo, surge la idea «lo controlo», apareciendo justificaciones a lo que está pasando como «tuve un mal momento en mi vida, pero ahora ya sé que tengo que tener cuidado a la hora de beber, tal y como lo estoy haciendo».
4. Es más fácil no volver a consumir que intentar hacerlo de una forma controlada. Los adictos que han intentado volver a reinstaurar un consumo, con el tiempo, unas veces antes y otras después se les termina «escapando de las manos».
5. Es frecuente la tendencia a creer después de un tiempo sin consumo, «estoy curada», pensando que puede volver al consumo, de la misma forma que una persona que se ha accidentado una pierna y hace una rehabilitación puede volver a hacer «su vida normal». Está claro que pueden llevar una vida totalmente normalizada, la única limitación es consumir nuevamente.

Contar ejemplos de casos que han vivido situaciones similares y que comparten problema resulta muy útil, y así lo hacen saber los pacientes cuando comentan: «Me he acordado esta semana de la paciente de la jeringuilla porque...».

Como conclusión, indicar que una vez se produce una dependencia, es extremadamente complicado mantener un consumo controlado pasado el tiempo. Esto se justifica, tanto en factores neurológicos, como ya hemos detallado en otro capítulo, como psicológicos, ya que al producirse un consumo inicial controlado aumenta la expectativa de «puedo repetirlo sin que me genere las consecuencias de antaño», con lo que «bajamos la guardia», siendo frecuente que se reinstaure el patrón anterior.

Autoengaño

Se caracteriza por la justificación y focalización en lo positivo que podría generar un consumo, desatendiendo o minimizando lo negativo que acontecerá.

Seguidamente recogemos algunas frases típicas descritas por pacientes:

1. «Mucha gente lo hace. Por qué yo no.» Existe un fenómeno que no sólo es común en adicciones, que es la comparación con otros modelos. «La diferencia es que tú tienes un problema de adicción y que quizá la persona con la que te comparas no lo tenga». Esto es un posible contraargumento.

   En Navidades, una gran parte de la población comete excesos, por ejemplo, respecto a la cantidad de dulce que consume. Después de una cena copiosa, el día de Nochebuena, se consumen polvorones, turrones, etc., seguramente de forma excesiva. Pero ¿qué ocurre con un diabético insulinodependiente? Obviamente, no se podrá comparar con otros y decir: «Mi amigo se toma cuatro polvorones y tres piezas de turrón. ¿Por qué yo no»?». La respuesta es sencilla: «Porque soy diabético».
2. «Al menos me quito el aburrimiento que tengo.» Focalizarse en el corto plazo en lugar de en el medio o largo plazo. Focalizarnos en lo «positivo» que esperamos que aparezca, facilitará el consumo. Por ejemplo, si

vas a jugar al bingo y piensas que vas a dejar de estar aburrido y no te enfocas en las consecuencias negativas que aparecerán posteriormente.

3. «Antes me pasaba consumiendo porque no estaba centrado, ahora va a ser distinto porque estoy más equilibrado.» La cuestión es que una adicción implica consumir sustancias o llevar a cabo conductas que pueden generar una dependencia, y que quien ya ha tenido problemas de este tipo tiene una mayor probabilidad de volver a patrones anteriores.

   No sólo depende del estado mental de la persona. Hay otros factores que aumentan la posibilidad de desarrollar nuevamente problemas adictivos. Recordemos lo de la cronicidad, como factor protector para que este tipo de autoengaño no tome fuerza.

4. «Es la boda de mi amigo...» Existen épocas, o eventos, ante los cuales hay una tendencia a permitirse excepciones. Sin lugar a dudas, la época del año de mayor riesgo de recaídas, son las Navidades, en las que se producen celebraciones, como fin de año, cena de la empresa, etc., que suponen una licencia para saltarse las normas establecidas. Contamos con otras celebraciones, como bodas, viajes en vacaciones, etc., frecuentemente asociados con establecer excepciones.

   Ante esto, la cuestión a interiorizar es que sigue siendo igual de adicto el 21 de septiembre que el 31 de diciembre.

5. «La próxima vez lo intentaré con más fuerza, o más interés», refiriéndose al tratamiento. Aquí el enfoque del profesional irá orientado a que los esfuerzos que ha realizado no los debe «tirar por la borda», y que tendrá que volverlos a realizar, siendo una excusa,

dado que por qué no va a ser este momento el adecuado para que se produzca un cambio significativo en su vida.

Un caso que ejemplifica tanto la ilusión de control como el autoengaño es el de Daniel.

Paciente de 35 años que cuando cuenta su historia relata: «Me he pasado unos nueve años sin consumir nada de alcohol, dado que muy joven me di cuenta de que mi consumo de alcohol era excesivo y me generaba multitud de problemas. Apoyado por mi familia decidí hacer un tratamiento, para posteriormente mantenerme abstinente, hasta que hice un viaje a Brasil de unos quince días. El objetivo era llevar a cabo una serie de reuniones laborales, disponiendo de mucho tiempo libre. Según planificaba el viaje pensaba que allí había mucho alcohol, mucha chica, mucho cachondeo... Esto me llevó a plantearme si durante mi estancia podría hacer un paréntesis y consumir algo. La segunda noche decidí tomar algo de alcohol, con cierto miedo, pero estando muy pendiente para que no fuera un consumo extremo. Durante las siguientes noches seguí consumiendo aumentando la cantidad, dándome cuenta de que empezaba a pasarme, pero justificándome diciendo que al volver a Madrid cambiaría, ya que si había sido capaz de estar nueve años sin beber, pues no volvería a tomar nada y ya estaba».

El resultado fue que siguió bebiendo y que al regresar a España continuó su consumo durante cuatro años, volviendo a vivir «el infierno» por el que ya había pasado. «En una de mis borracheras estuve a punto de perder la vida, llegando a estar en coma tras una pelea que originé contra varias personas. Me distancié de la familia, perdí varios trabajos, me dejó mi pareja...»

La pregunta fue: «¿Qué te llevó después de tanto tiempo de abstinencia a retomar el consumo?». De una forma contundente, afirmó: «Se me olvidó que era alcohólico y todo lo que ello implica».

Una vez detallados los pensamientos que nos acercan al consumo, debemos identificar las conductas que son indicadores negativos, las cuales nos pueden conducir a una recaída.

Podemos destacar multitud de ellas, pero de forma resumida indicaremos:

- ❑ Reinstaurar hábitos de conducta de antaño que fueron valorados negativamente durante el tratamiento.
- ❑ Volver a frecuentar ciertas compañías, de las que se denominaban compinches de consumo.
- ❑ Frecuentar lugares asociados a consumo, donde no existía ninguna gratificación añadida que no fuera el mero hecho de consumir.

La cadena de conductas que da lugar a una recaída se caracteriza por la secuencialización de una serie de pasos como los anteriormente descritos, junto con los cognitivos, o de pensamiento, ya referidos.

Afrontamiento de emociones negativas y positivas

Hay pacientes que tienen asociado el consumo a factores negativos y otros que, por el contrario, lo hacen a estados emocionales favorables. También observamos consumidores que lo asocian a ambos estados emocionales.

Enfoque en las emociones negativas

La presencia de situaciones que nos provocan una inestabilidad emocional es un factor precipitante de recaídas; por ello es conveniente trabajar con el paciente las siguientes cuestiones.

1. Vivir momentos de malestar psicológico es algo consustancial a la vida, y si no, quién, en algún momento, no se ha sentido triste, enfadado, con ira, etc. Lo extraño sería que ante ciertas circunstancias no se produjeran dichos estados emocionales. Por ello debemos estar preparados para vivirlos.
2. Durante la fase de dependencia se adquiere un hábito que consiste en que «cada vez que siento algo negativo consumo», como una forma de anestesiar las emociones. Así, un proceso normal, como vivir estas emociones y desarrollar recursos para amortiguarlas, en un adicto se ve «contaminado».

   Si he tenido una discusión con mi pareja y me siento decepcionado, triste, etc., lo primero que debo entender es que la aparición de estas emociones es normal, y en segundo lugar puedo realizar alguna actividad que me ayude a evadirme o a sentirme mejor, como quedar con un amigo, hacer algo de deporte, etc., o simplemente «vivir estas emociones negativas».
3. En el «pack de la vida» va implícito vivir emociones negativas, pero lo que podemos evitar es generarnos otras que ya no forman parte de lo que hemos denominado «pack de la vida».

   Pongamos un ejemplo: «Si después de una sesión donde he tratado de poner toda la energía posible, te he explicado diferentes conceptos y me he involucrado al máximo, si aun con eso valoras que la sesión no te ha servido y que además tu intención es dejar de venir a consulta, porque no te sientes entendido, lo lógico será que no me sienta como unas castañuelas, apareciendo emociones negativas (frustración, decepción, etc.), pero si además le agrego frases como que el día ha sido un desastre, la verdad es que soy muy mal psicólogo... Me estoy añadiendo cuestiones que no me tocan vivir, porque el día ha tenido esto negativo, pero también otras cuestiones positivas; no me considero un mal psicólogo, ya que en muchas ocasiones he ayudado a pacientes, etc.».

Diego, un paciente ludópata, después de tener un desencuentro con su jefe y sentir rabia, frustración, etc., se fue a un bar a jugar a una máquina tragaperras. Las emociones que estaba viviendo tras haber discutido las podemos etiquetar como lógicas, pero después de haber jugado se le unieron otras, como tristeza, culpa, etc., las cuales no le tocaba vivir y fueron experimentadas únicamente por su conducta errónea de jugar.

4. Cuando nos enfrentamos a una situación problema existen diferentes formas en las que podemos actuar.

   Si me siento tenso porque tengo mucho trabajo y lo que hago es descomponer las actividades que tengo que realizar, pararme un momento a relajarme, etc., estoy enfocando en la dirección de reducir el problema.

   Si lo que decido es lavarme las manos, entonces no sumo, pero tampoco resto, respecto a mi situación problema.

Por último, si lo que hago es irme a consumir cocaína, entonces estoy restando en la dirección de solucionar el problema.

Pedro, en época de crisis, cuando su trabajo de taxista descendía progresivamente, refería que pensaba: «Me voy al bar y al menos me entretengo un rato».

Durante la terapia, nos enfocamos en su problema y lo analizamos. «Puedes echar alguna hora más de trabajo, salir en fin de semana, alguna noche, contratar a alguien que salga con el taxi en las horas que tú no trabajas, etc., y así tratas de mejorar tu problema. Por otro lado, puedes coger e irte a tu casa, de esta forma no sumas ni restas, aunque al menos llevas a cabo una conducta de protección para no acabar jugando y tomando alcohol y cocaína. Y si lo que haces es consumir, entonces agravas tu problema.» Y por qué lo agravamos, «porque además del tiempo que no trabajas, pierdes dinero y aumentas el estado emocional negativo posteriormente al consumo, por las consecuencias negativas que van a aparecer».

Cada vez que vive una situación negativa y no recurre al consumo, lo que está haciendo es instaurar un nuevo hábito que le ayudará a enfrentarse al siguiente estado emocional negativo, lo que en Psicología denominamos autoeficacia.

Cuando preparamos al paciente para el afrontamiento de emociones negativas, si preguntamos por la existencia de algo que por lo negativo que resulta le hace «dejar una puerta abierta al consumo», nos encontramos respuestas de lo más variadas.

Enrique comentaba: «Lo único que se me viene a la cabeza para volver a beber sería la muerte de uno de mis hijos». Probablemente la situación más dura por la que puede pasar un ser humano. Merece la pena detenernos en las conclusiones a las que llegó, reflexionando durante la sesión. «Si trato de ponerme en esa situación, si la pasara bebiendo, sería encima un problema más para mi mujer y mi otro hijo. No podríamos apoyarnos entre nosotros, en ese duro momento, porque estaría fuera de mí y sería una postura muy egoísta y tremendamente incómoda para el resto de mi familia».

Llegar a una conclusión de este tipo y ante un posible evento tan «duro», lo que hace es desensibilizar otras posibles situaciones que pudieran llegar a acontecer, que es previsible que no sean tan extremas como la anteriormente mencionada.

Enfoque en las emociones positivas

Es más frecuente que las recaídas ocurran ante situaciones adversas, pero existen multitud de casos en los que estados emocionales positivos, los cuales han generado un estado de exaltación, han precipitado la vuelta al consumo.

Rafael, cuando realizaba una operación importante para su negocio sentía euforia, estado emocional que podemos calificar de lógico, por un éxito laboral. Dicho estado lo había asociado durante años a tomarse unas copas y consumir cocaína.

Durante el curso del tratamiento trabajamos para que aprendiera a vivir estas emociones positivas sin tener que «contaminarlas» con el consumo, para que no desembocara en un estado emocional negativo, ya que el adicto que está en un proceso de recuperación y se encuentra implicado, al producirse consumos, el resultado final es de gran frustración.

Para reaprender a «vivir» momentos de exaltación analizamos otro repertorio de conductas que le produjeran satisfacción, tanto en el corto como en el largo plazo, explicándole lo siguiente: «Cuando haces una venta importante, te encuentras muy animado, y si lo que haces es beber alcohol y consumir cocaína, posteriormente, al recordar este evento, no lo valoras como positivo, ya que se convierte en un castigo para ti. Pero si, por el contrario, lo que haces es llevarte a tus hijos al circo, o hacer una comida familiar, lo que estás consiguiendo es que tanto en el momento como al recordarlo tengas una emoción positiva. Además empiezas a establecer un nuevo patrón de conducta».

El problema es la inmediatez a la que se ha habituado, lo cual hemos de reeducar. Pasar a un bar y beber alcohol es inmediato, pero sin embargo llevar a los hijos al circo es más lejano. Por ello, un objetivo es aprender a demorar los refuerzos, ya que «nos hemos acostumbrado con el consumo a vivir de forma inmediata sensaciones, y en muchos momentos es lo que esperamos», comentaba Rodolfo. Por otro lado, si no sólo nos centramos en el resultado final, es decir, cuando estamos en el circo con los niños, sino que lo descomponemos en pasos, viviremos desde «ya» una emoción positiva. ¿Y cómo lo hacemos? Marcando unas submetas: buscando información sobre circos, imaginando la cara de los hijos cuando les diga que van a ir al circo, yendo a comprar las entradas, comentando con ellos lo que van a ver, etc.

Los aniversarios

Al cumplir un tiempo en abstinencia es recomendable llevar a cabo una celebración, lo cual se convertirá en un hito en el proceso de recuperación. Así será un objetivo a cumplir durante la intervención.

Algunas acciones que llevan a cabo los pacientes son: salir a cenar con la familia, hacer un viaje con la pareja, etc.

Es frecuente que los familiares participen haciendo algún tipo de regalo, algo simbólico que sirva para recordar el cambio que se ha generado en sus vidas.

Los hijos de María, cuando su madre cumplió un año sin consumir alcohol, durante la celebración, y tras decirle unas palabras, le regalaron un llavero. Dicho obsequio es un recuerdo de esa celebración y lo que significó, siendo un motivo más para mantener la abstinencia. «Me cargaría ese momento mágico que vivimos durante la celebración de mi primer año sin beber, si volviera a consumir», afirmaba María.

Estas celebraciones se convierten en una estrategia más de la intervención. Cuando lleva un tiempo de abstinencia ha de ir pensando qué va a hacer, lo cual genera una ilusión, estableciendo que el compromiso será llevar a cabo lo planificado, si mantiene el tiempo de abstinencia previsto.

Cuando lo consigue y realiza la acción planificada, la satisfacción es enorme, tanto en él como en sus familiares implicados en el proceso.

Un paciente me mandó el siguiente mensaje: «Hola, soy Carlos, y hoy hace un año que empecé a vivir, y a pesar de mis problemas ha sido la mejor decisión de mi vida. Sólo puedo decirte gracias por todo tu apoyo y enviarte un abrazo. Por cierto hemos pasado un día maravilloso». Este mensaje recoge varias cuestiones. El cambio que ha dado su vida —durante las sesiones afirmaba: «Antes era un vegetal»— y cómo se ha ido incorporando a la «vida». Refleja los problemas acaecidos durante este tiempo, que ha aprendido a afrontarlos sin cocaína; muestra su agradecimiento por el trabajo que hemos realizado conjuntamente, y por último, su alegría por la celebración.

Unido a las celebraciones, y desde una perspectiva negativa para la intervención, existe una expresión muy utilizada, «darse un homenaje», la cual merece la pena que abordemos.

Un homenaje es el permiso que se concede el adicto para llevar a cabo un consumo ante un evento significativo, Nochevieja, un cumpleaños, o como es muy frecuente, antes de iniciar un proceso terapéutico, a modo de despedida.

José, tras decidir llevar a cabo un programa de intervención y habiendo sufrido grandes consecuencias en su vida por el consumo de cocaína (sus padres habían saldado cuantiosas deudas, pagado su tratamiento; su mujer estaba desesperada sin poder disfrutar de su embarazo), afirmaba que antes de ingresarse tendría que darse una «última fiesta».

CÓMO REACCIONAR ANTE UN TROPEZÓN

Durante el desarrollo del libro, al utilizar la palabra «recaída» no hemos realizado una distinción, que en el campo en el que nos movemos es relevante, y es la diferenciación entre estos dos conceptos: caída y recaída.

Supongamos que paseando por la calle tropiezo con una piedra, me trastabillo, consigo apoyar las manos, me hago algún rasguño, e incorporándome sigo caminando, aun con cierta molestia en las manos por el golpe. O pensemos que igualmente tropiezo con una piedra, pero no me da tiempo a poner las manos, y al golpearme contra el suelo se me disloca el hombro, por lo que me llevan a un hospital... Está claro que en ambos casos me he caído, lo cual me ha generado un daño, pero las consecuencias son muy diferentes. Probablemente pueda sacar un aprendizaje, dado que si «jugamos» muchas veces a tropezarnos, en una de ellas nos puede ocurrir las consecuencias desastrosas del segundo ejemplo.

De esta forma podemos entender que hay que evitar que se produzcan caídas, pero si esto ocurre, lo importante es que no se convierta en una recaída.

Una caída, o desliz, implica un episodio puntual de consumo del cual sacamos un aprendizaje de lo ocurrido, tratando de continuar el camino de la recuperación.

Por el contrario, una recaída significa volver a un patrón similar de consumo, con conductas desadaptativas, como mentiras, etc., y que en ocasiones lleva al abandono del tratamiento.

Así, podemos afirmar que una caída no tiene por qué implicar una recaída.

Y cuándo abordamos con los pacientes los conceptos de caída y recaída. Existen dos momentos donde su introducción resulta indicada.

Como factor preventivo, cuando apreciamos un «exceso de confianza» y observamos la asunción de conductas de riesgo. Le explicaremos que puede ocurrir un desliz y que lo importante es tomar medidas como: reconocerlo; llamar a la persona que está implicada en su recuperación, es decir, al profesional; sacar un aprendizaje para evitar que vuelva a ocurrir; continuar con el tratamiento. El simple conocimiento de los pasos a seguir hace que muchos pacientes, después de un consumo, tomen medidas y que incluso esta caída les refuerce.

Alberto comentaba después de una caída: «Lo he pasado tan mal que creo que me ha venido bien y va a hacer que me implique aún más en mi recuperación, porque por nada del mundo quiero volver a lo de antaño, y me he visto reflejado durante estos dos días».

Otro momento es cuando el consumo ya se ha producido. En primer lugar, le enfocaremos en la importancia de estar en la consulta y que sea consciente del momento «tan delicado» ante el que nos encontramos: «Piensa que estamos en el borde del precipicio y que en cualquier momento podemos caernos, pero que está en sus manos que juntos demos pasos hacia atrás y que volvamos a estar en una posición más segura».

Tener instruida a la familia nos permite prevenir frases del tipo «ya sabía yo que no salías de esto», «has tirado todo el tratamiento a la basura», etc. En primer lugar, dichas frases no se ajustan a la realidad, incidiendo en la frustración que ya presenta el paciente, y no se enfocan en la solución del problema, que al fin y al cabo es la continuación del tratamiento, para así favorecer la abstinencia. Por ello, si se produce una caída, han de centrarse en la solución, aportando mensajes de ánimo y motivándole a continuar con el tratamiento.

Mayte, tras un consumo de su hijo, le indicaba: «Ya nos dijo el psicólogo que esto podría pasar, pero has evolucionado mucho y puedes seguir haciéndolo, estamos para apoyarte. Llámale y que te dé cita para que analicéis lo ocurrido lo antes posible...».

Existen casos que tras una o varias caídas han salido reforzados, suponiéndoles un impulso en su proceso de recuperación, mientras otros, desgraciadamente, «se han abandonado», volviendo a las consecuencias tan negativas que vivieron anteriormente.

Otras áreas de intervención

El campo de las adicciones es tan amplio que nos aboca a trabajar con las estrategias propias de esta área de intervención y con una serie de herramientas de otras disciplinas de la Psicología.

Así, cuando trabajamos con un adicto, además de su propia adicción, en la mayoría de los casos tiene afectada la autoestima, el estado anímico, presenta sintomatología ansiosa, etc.

Hay casos donde el trastorno psicológico ha sido el precursor del cuadro adictivo, por lo que requiere una atención clínica, ya que será un precipitante de recaídas si carecen de estrategias para afrontar dichos síntomas psicológicos.

Beatriz afirmaba: «Tras estar viviendo una fuerte depresión empecé a aumentar el consumo de alcohol hasta que se me fue de las manos».

Sara refería: «Cuando me enfrentaba a situaciones sociales consumía alcohol para reducir el miedo a relacionarme, pero esto se fue ampliando a otras situaciones y momentos de soledad, hasta que acabé bebiendo cantidades muy altas».

En otros pacientes es la propia adicción la que afecta a una serie de áreas de su vida interfiriendo en su estabilidad psicológica.

Seguidamente se detallan algunas áreas en las que es habitual intervenir con adictos, y cómo hacerlo.

Únicamente abordaremos las cuestiones más habituales, ya que sería muy complicado por su extensión recoger toda la casuística con la que nos encontramos.

Estado de ánimo

Uno de los grandes perjudicados, en una adicción, es el estado anímico.

En las primeras sesiones, cuando hacemos la valoración del caso, es frecuente encontrarnos síntomas como: tristeza, desánimo, sensación de fracaso, culpa, autodecepción, desinterés social, fatiga, alteración del sueño, problemas con el apetito, desinterés sexual, etc., los cuales son característicos de un ánimo depresivo, justificándose así la intervención.

Las depresiones endógenas son las producidas por una descompensación biológica —produciéndose un déficit en ciertos neurotransmisores (básicamente serotonina y adrenalina)—, y mantienen la hipótesis bioquímica de su desarrollo, por lo que justifican el uso de antidepresivos.

Desde la Psicología, de una forma simplista, podemos afirmar que el estado de ánimo depende de lo que hacemos y lo que pensamos o cómo interpretamos la realidad. Siendo tan sencillo, o tan complicado, como acabamos de describir.

Respecto a lo que hacemos, cuando estamos lo que vulgarmente denominamos «depre», se restringen progresivamente las actividades realizadas, llegando en las depresiones severas a tener dificultad el paciente para levantarse de la cama y llevar a cabo cualquier tipo de actividad.

En los procesos adictivos sabemos que se ven reducidas las actividades. Así, lo que antes resultaba placentero deja de serlo, «girando su vida» en torno al consumo.

Santiago indicaba en la primera sesión: «Mi día se reduce a trabajo y consumo. El trabajo lo llevo a cabo con unas deficiencias importantes y el consumo de cocaína, desde hace tiempo, lo hago básicamente en solitario». Como podemos entender, su estado de ánimo estaba «muy bajo» al inicio de la intervención.

Uno de los objetivos fue ir recuperando actividades que anteriormente le resultaban gratificantes. Empezó a llamar a amigos íntimos a los que tenía descuidados, realizando actividades conjuntas (salir a montar en moto, tomar un café, quedar con los hijos...); participación en actos (asistencia al aniversario de los veinte años como antiguo alumno de su colegio, acudir a la fiesta de final de curso de sus hijos, organización de una cena con sus primos, etc.); realización de actividades lúdico-deportivas, etc. La implicación en estas actividades no fue de forma inmediata, sino progresiva, contribuyendo a la mejora de su estado anímico.

En relación a lo que pensamos, hay un psicólogo muy conocido por sus teorías sobre la depresión, Aaron T. Beck, que nos describe lo que acuñó como la tríada cognitiva. Esto se refiere a lo que pensamos de nosotros mismos, la visión acerca del mundo y cómo concebimos el futuro.

Respecto a nuestra imagen, nos encontramos expresiones como «soy una mala persona, un vicioso, un egoísta», etc. El abordaje consiste en el entendimiento de que una gran mayoría de las acciones que ha llevado a cabo, o ha dejado de realizar, son fruto de su adicción, y que no es que «sea un egoísta», sino un enfermo, como ya hemos relatado.

Así, durante la terapia iremos recapturando sus valores de vida para apreciar cómo hay dos personas distintas que actúan de forma diferente: la adicta y la que está en recuperación. De esta forma, durante la intervención señalaremos estas diferencias para ir recuperando una imagen positiva de sí mismo.

En relación a la visión del mundo, lo habitual es que mejoren todas las áreas de su vida al dejar el consumo y ponerse en tratamiento. Existen casos donde se producen eventos negativos durante la intervención, como una ruptura de pareja, pérdida del trabajo, aparición de una enfermedad, etc.

Marisa, pareja de Carlos, afirmaba que deseaba romper la relación de pareja y que al iniciar Carlos el tratamiento para su adicción a la cocaína, tendría un mayor apoyo, llevando a cabo entonces la separación. Esto supuso un «fuerte varapalo», pero a pesar de todo, se produjo una mejora en el resto de áreas de su vida al continuar abstinente.

Las experiencias vividas son relevantes en el estado anímico, pero ante situaciones similares las reacciones son muy diferentes, es decir, depende de cómo las interpretemos.

Juan relataba en una sesión: «Uno de los motores fundamentales de mi vida es mi hijo, al que por distintos motivos sólo veo una vez al mes, y aunque me apetece estar con él mucho más, valoro lo positivo que supone verle ese día y pienso que si hubiera seguido como estaba cuando consumía, podría haber perdido totalmente la relación».

Juan Carlos, por su consumo abusivo de cocaína, tiene multitud de deudas pendientes por créditos personales solicitados, y aunque lógicamente le afecta, describe: «Si hubiera continuado consumiendo cocaína, en la actualidad estaría en una situación económica aún peor, probablemente debajo de un puente».

Como hemos dicho, ante las mismas situaciones respondemos de forma muy diversa, en función de cómo interpretamos lo que vivimos. Así, por ejemplo, ante una caída en el consumo hay pacientes que lo valoran como un aprendizaje y un reto para superarse, saliendo incluso reforzados, mientras que otros «se han hundido».

Ansiedad

Dejar de realizar una conducta que se ha consolidado con el tiempo y repetido en multitud de ocasiones puede desembocar en el desarrollo de una serie de síntomas de ansiedad.

Para entender la ansiedad en sus diferentes vertientes, analicemos el siguiente ejemplo:

Si antes de venir a consulta un paciente pienso «me va a salir muy mal la sesión», «el paciente no va a volver a querer venir a consulta porque me va a ver inseguro...». Entonces empiezo a notar taquicardia, sudoración, sensación de nudo en el estómago, etc., y lo que hago para encontrarme más seguro y relajado es tomarme una copa de licor, entonces existen tres áreas en las que intervenir:

- Cognitiva: se refiere a lo que pensamos («me va a salir mal la sesión»).
- Fisiológica: son las manifestaciones físicas, es decir, lo que sentimos, (sudoración, nudo en el estómago, etc.).
- Motor: son las acciones llevadas a cabo ante la situación ansiógena, o sea, lo que hacemos. En este caso consumir alcohol.

Sin hacer una descripción pormenorizada sobre las diferentes técnicas de intervención, indicar que si un adicto ha tenido una caída y se da mensajes de «no voy a salir de esto en mi vida», dicho pensamiento le va a generar frustración y esto va a condicionar su conducta: «Si no voy a salir de esto, para qué voy a seguir luchando, vuelvo a consumir...».

Partimos de un mensaje erróneo porque no sabemos lo que va a acontecer en el futuro. Así, de un pensamiento erróneo sentiremos una emoción que no nos tocaba vivir, y probablemente esto nos llevará a una conducta inadecuada.

Pensamiento erróneo: «No voy a salir de la adicción en mi vida». Es erróneo porque es una futurización y no sé lo que va a ocurrir.

Emoción que no me toca vivir: desesperanza.

Conducta inadecuada: abandonar el tratamiento y seguir consumiendo.

Si, por el contrario, modificamos el pensamiento inicial generando un mensaje que se ajuste más a la realidad y enfocado en la solución del problema, éste será el resultado:

Pensamiento modificado: «He tenido una caída, no es nada agradable, pero de esto puedo aprender para que no me vuelva a ocurrir...».

Nueva emoción: desilusión por el consumo, pero esperanza en que puedo remontar.

Conducta alternativa: llamar al psicólogo para indicarle lo ocurrido y concretar una cita para analizar las circunstancias.

Los síntomas físicos podemos combatirlos aprendiendo alguna estrategia de control de la activación. Las técnicas de relajación son una útil herramienta, que se aplican para el abordaje de multitud de patologías, utilizándose de igual forma en el campo de las adicciones.

La relajación nos sirve a nivel preventivo, ya que disminuye el nivel de activación, pero también es una estrategia de afrontamiento ante deseos de consumo, o para reducir síntomas del síndrome de abstinencia.

Contamos con técnicas de relajación muy diversas (respiración abdominal, entrenamiento autógeno, progresiva de Jacobson, imaginación guiada, etc.), siendo cada persona susceptible de responder mejor a una u otra.

Hace años, impartiendo un curso en una universidad, realizamos una práctica de relajación y ocurrió lo siguiente:

Una de las partes consistía en la visualización de una escena agradable —«Imagina que estás tumbado en la playa, escuchando las olas...»—, presuponiendo que a todos les resultaría relajante. Una alumna no paraba de moverse, por lo que al finalizar el ejercicio la pregunté qué le ocurría, a lo que me respondió: «Es que a mí la playa me resulta muy estresante», ya que había vivido una situación traumática asociada al mar.

Por ello es positivo construir una relajación específica para cada paciente.

Respecto al área motor, es decir, cómo nos enfrentamos a la ansiedad, contar con herramientas psicológicas (solución de problemas, relajación, etc.), facilita el afrontamiento. Añadido a esto, lo reforzaremos con una psicoeducación. Por ejemplo, beber una copa es una estrategia que únicamente funciona en el corto plazo, ya que en el medio-largo plazo estamos generando un problema. La explicación es que ante otra situación conflictiva recurriremos nuevamente al alcohol, por lo que no aprenderemos a afrontar estresores de una forma adecuada.

Entrenamiento en habilidades sociales: estrategias de comunicación

La comunicación es el medio fundamental por el que interactuamos, determinando la cercanía o lejanía entre las personas.

No es sólo lo que decimos, ya que existe otra forma de comunicación, la no verbal, tan potente o más que la propia comunicación verbal.

La población con problemas adictivos suele presentar una serie de déficits en habilidades sociales. Las hipótesis para que ello ocurra son las siguientes:

a) El entorno de desarrollo no posibilitó un aprendizaje adecuado, ya sea por modelos inadecuados o por la escasez de los mismos.
b) Consumir drogas puede implicar mantener contacto con un entorno marginal, con unos modelos que re-

quieren unos comportamientos sociales distintos a los que implementamos normalmente.

c) Un inicio temprano en el consumo dificulta el aprendizaje de habilidades comunicativas.

d) Reacciones de ansiedad ante eventos sociales determinan la evitación de éstas, o el consumo, como respuesta de afrontamiento.

e) Aunque se dispusiera de un repertorio adecuado de habilidades sociales, la falta de práctica durante el período de consumo produce una inhibición de dichos comportamientos. Así, con estos hábitos inadecuados adquiridos, si no son corregidos, quedan reminiscencias y una tendencia a ser repetidos.

Cuando hablamos de estilos de comportamiento en relación a la forma de comunicarnos podemos diferenciar: pasivo, agresivo y asertivo.

La comunicación pasiva se refiere a no expresar lo que sentimos y «tragarnos» algo que nos incomoda.

La agresiva es cuando lo que comunicamos, por ejemplo una discrepancia, lo hacemos de una forma violenta, gritando o atacando verbalmente al interlocutor.

Respecto a la asertiva, que es la que pretendemos enseñar, es cuando expresamos lo que sentimos, haciendo valer nuestros derechos.

Durante la etapa activa de consumo es habitual que prime la comunicación pasiva o la agresiva.

La pasiva, por la tendencia a pensar «con la que he liado como para decir...», refería Javier, indicando que cuando estaba en fase activa no expresaba a su pareja los desacuerdos. «Si compraba algo para la casa que consideraba inadecuado, no tenía la fuerza moral para expresarle mi discrepancia.»

También nos encontramos el caso contrario, ante situaciones en las que le apuntaban lo inadecuado de su conducta, las consecuencias que estaba teniendo, etc., la reacción era violenta y de ataque hacia la otra persona. Como dice el refrán, «no hay mejor defensa que un buen ataque».

Otra habilidad a entrenar es cómo decir «no» ante ofertas de consumo. Dependiendo del tipo de adicción, nos encontramos diferentes situaciones de invitación o presión social.

Respecto al alcohol, por ejemplo, es probable que surjan insistencias: «por una copita no pasa nada», «es sólo para brindar», etc.

Si estamos cenando y ofrecemos una copa de vino a uno de los invitados y la respuesta es «no gracias ahora no me apetece», es muy posible que en un rato volvamos a hacer el ofrecimiento: «antes no te apetecía, pero quizá ahora sí». Además, el mensaje deja una puerta abierta al consumo, «no bebo porque no me apetece», pero entonces qué pasaría si en otro momento sí apeteciera. La recomendación es ser rotundos y no dejar «puertas abiertas»: «no gracias, no bebo».

Cuando decimos «no», para no resultar «cortantes» está bien dar una razón, un «porqué», que será hasta donde nos apetezca informar. Si nos preguntaran ¿y por qué lo has dejado?, la respuesta dependerá del grado de confianza y lo que deseemos explicar, pudiendo utilizar una estrategia conocida como el disco rayado, es decir, volver a decir el mismo mensaje una y otra vez «porque he decidido dejarlo», o ampliar algo la información «porque no me sentaba bien», hasta indicar que le estaba generando grandes problemas y se ha puesto en tratamiento, si consideramos adecuado dar esta información.

Pacientes en tratamiento por cocaína detallan que es frecuente, durante el proceso de recuperación, que alguien relacionado con su vida anterior le haya «obsequiado» con una cantidad de la sustancia, por ejemplo metiéndoselo en el bolsillo. Si esto ocurre, la respuesta ha de ser más directa, como la que utilizó Alberto: «Lo he dejado, y además te agradecería que no volvieras a ofrecérmelo y mucho menos que me lo metieras en el bolsillo».

Una duda que formulan los pacientes es «¿a quién le cuento mi problema?». En esta frase subyace el miedo que tienen las personas con problemas adictivos por el estigma social hacia este tipo de enfermedades.

Para realizar una autorrevelación de este tipo, no hay una fórmula mágica, ya que se trata de una decisión muy personal, no existiendo una pauta a seguir, «tienes que decírselo a esta gente, pero a éstos no». La recomendación es que con los muy cercanos, y que sepa de su discreción, puede ser adecuado compartirlo, haciéndoles partícipes de la situación. Será además útil para que puedan entender algunas conductas que el adicto tenía anteriormente.

La mayoría suelen compartirlo con su núcleo más íntimo, aunque existen casos peculiares, donde se han ingresado pocos días en un centro y no lo han comunicado ni a la pareja, alegando, por ejemplo, que estaban en un viaje de negocios.

Al igual que tenemos los que afirman haber estado en tratamiento sin ningún tipo de problema, llegando incluso a estar dispuestos a salir por televisión para dar su testimonio, siendo casos muy excepcionales.

Impulsividad

La dificultad en el control de impulsos es un factor precipitante para desarrollar una adicción. Así, nos encontramos pacientes que «traen» este problema de base. Pero, por otro lado, la propia adicción favorece la manifestación de reacciones de ira e impaciencia, así como de conductas impulsivas.

Una forma sencilla para entender la impulsividad es definirla como la distancia, o el tiempo, entre el pensamiento y la conducta. Emilio refería: «En la época de consumo notaba cómo hacía cosas y posteriormente valoraba las consecuencias».

Una característica de la persona impulsiva es pretender que los resultados sean instantáneos, teniendo dificultad para demorar acciones.

En las adicciones existen unas consecuencias momentáneas provocadas por la conducta. Si, por ejemplo, juego en una máquina tragaperras, obtengo una estimulación desde que me acerco a ella, con el sonido, las luces y el pensamiento «me va a tocar». Sin embargo, si juego a la quiniela, no conseguiré ese refuerzo instantáneo, y por ello es más difícil hacerse adicto a cuestiones que nos generan consecuencias en el medio o largo plazo.

Este patrón descrito de búsqueda de refuerzos instantáneos surge también durante el proceso de recuperación asociado a otros factores. Por ello trabajamos la demora de refuerzos; por ejemplo, a la hora de comprarse ropa. La tendencia es «veo algo y me lo compro», sin entrar a valorar si la compra es más o menos necesaria, o incluso si por la situación económica me lo puedo o no permitir. El objetivo es controlar el impulso y que así se pueda generalizar a otras situaciones.

La persona impulsiva busca el refuerzo inmediato, por lo que le resulta complicado plantearse metas intermedias y disfrutar de ellas, siendo éste uno de los objetivos de la intervención.

Escribir este libro tiene un objetivo final, publicarlo y que tenga una buena aceptación por parte de los lectores. Si únicamente me baso en ese objetivo, durante el largo período que ha transcurrido escribiéndolo probablemente no lo hubiera disfrutado. Así, lo que puedo hacer es descomponerlo en submetas (he conseguido el índice, voy por la página veinte, qué bien ha quedado el primer capítulo, etc.), que hace que vaya «saboreando» el proceso.

Planteamiento de objetivos: equilibrio por áreas

Un indicador claro y evidente de estar inmerso en un proceso adictivo es el desequilibrio que se produce en las áreas importantes de la persona; por ello, su reinstauración es un objetivo esencial.

Existe una estrategia, la cual es recordada al tiempo, ya que muchos pacientes me han indicado: «Ahí sigo, tratando de no desequilibrar las patas de mi mesa».

Dicha herramienta la denominamos las patas de la mesa.

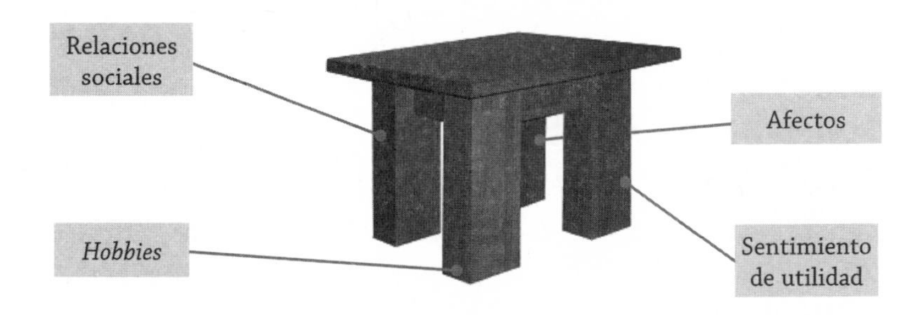

Visualizando la figura apreciamos que existen cuatro grandes áreas: hobbies, relaciones sociales, sentimiento de utilidad (personal y laboral) y afectos.

Se destaca la importancia de tener un equilibrio entre cada una de las patas, no descuidando ninguna, ya que si no, el tablero (es decir, la persona) se tambaleará.

Añadido a esto, indicar que cuando alimentamos una pata es probable que otras también se vean recompensadas.

Por último, indicar que el equilibrio no se logra enfocándonos únicamente en una pata.

Existen casos que, durante el proceso de recuperación, se han centrado en el área del trabajo, constituyéndolo como su motor de vida. Aun permaneciendo abstinentes, no han recuperado un equilibrio en su vida y con ello un mayor bienestar personal. Por ello, focalizarnos en una única pata, como motor de vida, no es lo más recomendable; además, cuando surge algún problema en esa pata el tablero se viene abajo.

En relación a cómo «una pata puede alimentar otras» contamos con un ejemplo muy ilustrativo:

Jorge, cuando llegó a consulta después de un prolongado tiempo de consumo, en solitario, había descuidado todas las patas, por lo que trabajamos para irlas recomponiendo. El primer objetivo era tratar de movilizarle, ya que sus días transcurrían «de casa al trabajo y del trabajo a casa» sin apenas mantener relaciones y actividades gratificantes. Nos planteamos si existía alguna actividad de ocio que pudiera empezar a practicar. Tras valorar sus gustos afirmó: «Ir al campo me motivaba antaño». Acudir al campo en solitario hacía poco probable el hecho de fomentar otras áreas. Por ello, la tarea consistió en buscar grupos de senderismo y apuntarse a uno de ellos. Tras una alta dosis de motivación realizó su primera excursión, evolucionando de esta forma sus patas.

Durante los fines de semana salía al campo y lo hacía en grupo, con lo que aumentó sus actividades de ocio y sus relaciones sociales. Algunos de los miembros del grupo fueron constituyéndose como amigos, con lo que mejoraron sus afectos, llegando a mantener una relación de pareja con una chica con la que más tarde se casó. Además empezó a organizar excusiones, con lo que su sentimiento de utilidad para con el grupo y para consigo mismo creció.

Podemos pensar que éste es un ejemplo idílico, y es cierto que lo es, pero también es verídico y constata la necesidad de movilizarnos para tratar de mejorar «nuestras patas».

La importancia de la familia

Dentro de la palabra «familia» se podrían incluir también los amigos, las parejas, los compañeros íntimos de trabajo, etc., es decir, cualquier persona cercana al adicto y que sufre con él las consecuencias de su enfermedad. Así, viven el miedo a que le ocurra algo, sufren la incomprensión de este proceso, sienten la indefensión de no saber cómo actuar.

En muchos programas de intervención he podido comprobar cómo son «los grandes olvidados», no existiendo un buen soporte, información y colaboración durante la terapia.

Durante mis años de experiencia he trabajado con un gran número de centros, y en la gran mayoría de ellos, el soporte para el familiar lo consideraría muy escaso. Recuerdo cómo en uno de esos centros una de las partes de las que más aprendí fue del tratamiento a los familiares, que en este caso resultaba muy completo. Así, además de las propias intervenciones encaminadas a conocer más información del caso y abordar la evolución del paciente ingresado, se realizaban sesiones conjuntas con los familiares y el paciente, y existían unas sesiones específicas para los familiares, lo que se denominaba «programa familiar», donde el objetivo prioritario era que contaran con un espacio para «sacar fuera» emociones, pensamientos, sentimientos, etc., y donde pudieran hablar de cómo se encontraban ellos, contando con ciertas pautas de apoyo. La implicación de algunos padres era muy grande, a tal punto que después de haber terminado el programa de intervención seguían acudiendo para dar testimonio a otros familiares.

Juani y Pedro, los padres de Pedro, comentaban cuando otros padres les agradecían su apoyo: «Cuando os ayudamos, nos ayudamos a nosotros mismos», y así en las charlas o sesiones que impartíamos nos «aprovechábamos» de su experiencia para que comentaran cuestiones vividas, hablaran de miedos, etc., lo cual facilitaba el proceso para el resto de participantes, generándose entre ellos unos lazos muy intensos.

Cómo ayuda el familiar para que el adicto reconozca su problema

«Yo controlo, lo puedo dejar cuando quiera, no necesito ir a ningún sitio para dejarlo...», es muy probable que lo hayamos oído en multitud de ocasiones y que incluso se haya intentado, siendo el resultado negativo.

Podemos hacer la comparación con cualquier otro trastorno y cómo acudiríamos a pedir ayuda. Si llevamos una larga temporada con dolores intensos en la espalda, lo lógico es que vayamos a un traumatólogo, o un fisioterapeuta y que nos pongamos «manos a la obra» para tratar de resolver nuestra molestia. ¿Por qué no actuamos de igual forma con este problema?

Lo primero que tenemos que conseguir es que el adicto acepte que tiene un problema, cuestión difícil, dado que la negación forma parte del proceso adictivo.

En esta situación hay familiares que consultan, y tras estudiar las peculiaridades del caso podemos ofrecer algunas pautas para ayudar a romper la negación del enfermo, las cuales describimos a continuación:

Poner límites y cumplirlos

Si, por ejemplo, le decimos al adicto que no vamos a volver a llamar a su jefe para indicarle que está en cama con fiebre, cuando lo que ha acontecido es que ha estado consumiendo, tenemos que ser capaces de cumplirlo. Si le decimos que no le facilitaremos ningún dinero extra del que ya hemos quedado, que controlaremos las cuentas, y si se produce algún gasto sospechoso, tendrá que justificarlo, y si no tendrá una consecuencia, tenemos que estar dispuestos a llevarlo a cabo.

Lo fundamental es establecer pautas, que estemos seguros de poder cumplirlas.

Es una etapa, la de aceptación, que se acortará en gran medida si somos capaces de mantenernos firmes y no mostrar apoyo «al mandril» para que siga manipulando la situación. Pensemos que para el mandril es una derrota parcial que la persona reconozca que tiene un problema y esté dispuesto a ponerse en tratamiento, pues esto va en contra de sus intereses. Digo una derrota parcial porque todavía es muy probable que se mantenga activo y trate de boicotear el tratamiento.

Mostrarse unidos

La presión vivida y el cansancio psicológico hace que, en ocasiones, cada uno de los miembros del entorno familiar adopte una postura, y esta circunstancia será aprovechada por el adicto.

En la consulta observamos cómo los padres se han estado «tirando los trastos» culpándose el uno al otro, cuando está muy claro que lo que ambos pretendían era que su hijo se recuperara, y mientras él, o su mandril, aprovechaba estas coyunturas para seguir llevando a cabo su conducta e ir manipulando a uno y a otro para conseguir sus objetivos.

Lo primero a explicarles es que desde la unión será más fácil conseguir nuestro objetivo (la aceptación de la adicción). Como dice el refrán, «la unión hace la fuerza».

Comunicación clara

La comunicación es el gran motor de las relaciones humanas; así, si establecemos una buena comunicación, se facilitan las interacciones, pero si es negativa, se nos complican gravemente.

En el campo en el que nos movemos es habitual que se generen procesos similares al del adicto: él miente y nosotros, me refiero a los familiares, ocultamos. Es importante que no haya mentiras entre los propios familiares, ya que en más de una ocasión escuchamos «no se lo digas a tu padre y toma este dinero y que sea la última vez». ¡Estupendo!, el adicto detecta que no hay unión, «puedo aprovecharlo».

Es de vital trascendencia que se mantenga una comunicación en abierto, no entrando en procesos de ocultación que hacen que nos veamos contaminados por la propia enfermedad de la adicción. Es entendible que, en ocasiones, surjan frases en el familiar del tipo «yo creo que se ha visto con tal persona con la que consumía, pero no le digas nada, porque si no...», verbalizándoselo al profesional, pero tratando de que no se aborde en abierto.

Debemos enfocar al familiar en mantener pautas sanas de comunicación, porque si no, funcionamos desde el proceso adictivo, siendo fundamental que lo modifiquemos y que «salga a la luz» cuanto antes.

No entrar en los chantajes

No entrar en los múltiples chantajes en los que pueden verse envueltos; por ejemplo, «tu sabrás lo que haces, pero ya veremos lo que hago yo», refiriéndose a que lo que haría es irse a robar, comentaba Manuela, madre de Álvaro, durante una sesión, cuando se negaba a darle dinero. Si conseguimos no involucrarnos en los chantajes, estamos dificultando el consumo y favoreciendo el proceso de recuperación.

Aunque pueda parecer extraño, los familiares lo entienden rápido y reconocen este proceso, afirmando: «Si es que soy yo misma la que se lo estoy poniendo fácil para que siga consumiendo», volvía a referir Manuela.

En casos extremos, vemos cómo la propia pareja ha ido a comprar la dosis para que «así se tranquilice», me decía Ana, pareja de Emilio, adicto a la cocaína, cuando éste le amenazaba con «hacer una locura» si no consumía. Con lo que Ana justificaba su conducta: «Va a ser la última vez».

No eliminar las consecuencias

Para que entendamos bien a qué nos referimos pongamos un ejemplo fuera del ámbito que nos ocupa.

Si nuestro hijo rompe a propósito un jarrón de la casa, debería tener algún tipo de castigo, afrontando las consecuencias de sus actos; por ejemplo, quitarle parte de la paga para que lo sufrague o estar un tiempo sin salir, pero si no hay ninguna consecuencia, puede que el chaval no lo valore como algo tan negativo y cuando esté enfadado siga repitiendo esa conducta nada afortunada.

La familia de Mario, un paciente que, habitualmente, cuando consumía alcohol tenía conductas agresivas y que en algún momento le llevaron a tener problemas graves, lo que hacía era «tirar» de contactos para tratar de evitar que su hijo tuviera algún tipo de consecuencia legal. A priori, es una reacción muy humana, pero si esto se repite y las consecuencias de sus actos no las afronta, será fácil que dicha conducta se siga realizando y más difícil que el enfermo «toque fondo» (término muy utilizado en el argot de las adicciones), y a partir de ahí reconocer su problema y pedir ayuda.

Juan Carlos, a partir de una detención policial y lo que vivió, decidió poner fin a su calvario adictivo y comunicar a la familia que estaba dispuesto a «hacer lo que sea para salir de esto». Después de unas sesiones, manifestaba: «Lo mejor que me ha pasado este año es que me pillara la policía y me viera en comisaría como un delincuente...».

Hablarle de la solución

En la mayoría de los casos le hablamos del problema y la solución que aportamos es que deje de consumir, algo que como hemos indicado le resulta muy complejo, ya que cuando uno es «presa» de una adicción se ve disminuida su libertad de elección. Si le hablamos del problema ha de ser con datos concretos: «Te han retirado el carné, te has gastado 5.000 euros en los dos últimos meses, pasas poco tiempo en casa...».

Hemos de enfocarnos en proponer soluciones: «¿Por qué no consultamos con un especialista? Mira este folleto, podemos ir a preguntar». De este modo ejercemos lo que llamamos una «presión positiva» para que admita que tiene un problema y acceda a realizar un tratamiento.

Hablarle en primera persona

José, un padre muy preocupado por la situación de su hijo, le decía: «Tenía que darte vergüenza hablar así y hacer lo que haces». A partir de esta frase, la discusión durante parte de la sesión fue sobre qué cuestiones nos tienen que dar vergüenza.

Es más idóneo indicar lo que uno siente: «Me siento triste, dolido..., cuando veo cómo hablas, como te estás deteriorando...». Tenemos todo el derecho a sentir cosas, y eso es irrefutable, «es lo que siento».

En esta línea podríamos indicarle cómo nos influiría que aceptara realizar un tratamiento: «Me sentiría muy esperanzada si aceptaras seguir un tratamiento», le comentaba Paula a Javier después de unas sesiones de valoración y al comentarles lo relevante que sería iniciar un proceso de intervención.

Cómo ayuda la familia una vez que el enfermo pide apoyo

La cuestión ahora es cómo actuar si el adicto reconoce que tiene un problema de consumo. Una vez dado este paso, lo siguiente es conseguir que «se ponga en manos» de profesionales. Esto, que parece algo lógico, es un proceso que en ocasiones dura años en algunos núcleos familiares, con el consiguiente sufrimiento aparejado.

Como ya hemos mencionado, si alguien tiene un problema físico, por ejemplo dolores en un tobillo, lo que hará es visitar al traumatólogo y seguir las indicaciones y pautas médicas de éste, tratar de conseguir una buena recuperación a través de ejercicios de fisioterapia, etc., y sin embargo, ¿por qué no ocurre lo mismo en un proceso de este tipo? Es más fácil reconocer un problema físico y pedir ayuda. Sin embargo, en cuestiones psicológicas resulta más complicado, siendo todavía mayor la dificultad ante problemas adictivos.

Algunos pacientes, una vez que deciden realizar un tratamiento, mencionan que para ellos es como «una derrota», ya que «todos» los obstáculos de su vida habían sido capaces de resolverlos, y no conseguir superar la adicción y terminar pidiendo ayuda era un signo de debilidad.

Esto lo trabajamos aportando al paciente información de otros trastornos para que entienda la importancia de pedir ayuda y se plantee por qué no en este campo, donde el factor fundamental de su recuperación va a estar en él, pero que un buen apoyo será clave para alcanzar su objetivo.

A Manuel le indicaba: «Si estamos con una cojera, nos apoyamos en una o varias muletas durante un tiempo, hasta que podemos irlas retirando de forma progresiva y caminar por nosotros mismos. Al fin y al cabo, la figura del profesional es alguien que te acompaña durante la terapia, te instruye, orienta, etc., para contar con las habilidades necesarias para caminar posteriormente en solitario».

A estas alturas, lo fundamental será cómo se puede colaborar para que acceda a realizar un tratamiento y que sea pronto, aunque sin precipitarnos, ya que las «prisas» nos suelen llevar a decisiones inadecuadas, las cuales a veces son un obstáculo en el proceso de recuperación.

A Francisco le conocí después de vivir el siguiente episodio. Estando en estado de intoxicación reconoció que necesitaba un tratamiento y en ese momento la familia llamó a un centro, les dijeron que había plazas y lo llevaron en ese mismo instante. Cuando el paciente se despertó estaba totalmente desconcertado, sin saber dónde se hallaba, y solicitando que le dieran el alta, decía: «Yo no tengo ningún problema, sólo que ayer bebí un poco más de la cuenta».

A partir de ahí, trabajar con el paciente va a resultar muy complicado, aunque esto no quiere decir que no se puedan dar avances, pero no parece la forma más fácil para lograr objetivos, aunque, como «cada caso es un mundo», hasta en situaciones de este tipo he visto pacientes que han tomado consciencia de su problema.

Si conseguimos llegar a este punto, en el que reconoce que tiene un problema, está claro que hemos dado un avance importante que tenemos que tratar de mantener para no «desandar el terreno caminado». Para ello puede ser útil que conozcamos algunas pautas:

Ser firmes

En más de una ocasión se produce un efecto rebote, mejorando, en algo, la conducta del enfermo. Esto hace que se plantee «no necesito tratamiento, lo puedo hacer yo mismo», lo cual puede llevar a los familiares a no cumplir lo pactado.

Por ejemplo, hay parejas en las que uno de los miembros le ha dicho al otro: «Si no aceptas un tratamiento, no estoy dispuesta a mantener nuestro matrimonio», y posteriormente, tras esa primera buena sensación, acepta que no lo lleve a cabo. Esto le ocurrió a Marisa con Antonio, aunque desgraciadamente al poco tiempo Marisa afirmaba: «La mejoría ha durado un mes, pero ya está como antes».

Debemos evitar dos tipos de errores. Por un lado, hemos indicado algo que luego no cumplimos, así que cuando establezcamos algún otro límite, no tendrá ningún resultado en el enfermo, «bueno, si al final siempre cede». Por otro lado, si alguien tiene una enfermedad, debe tratarla con alguien especializado, siendo el error hacerlo sin ningún tipo de intervención.

Ofrecer alternativas

Durante este proceso es positivo que nos informemos sobre diferentes tipos de tratamiento, profesionales del campo, etc., que nos permita darle un amplio abanico de posibilidades, donde la misión como familiar es orientarle, pero no decidir por él para evitar posibles resistencias.

Cómo colabora la familia durante el tratamiento

Una vez que el potencial paciente pasa al nuevo estatus de paciente, es decir, inicia un tratamiento, la figura de una persona cercana que sirva de apoyo durante la intervención nos resulta de gran ayuda. Dicha figura se denomina coterapeuta o «aliado», del cual ya hablamos en el anterior capítulo. Únicamente daremos alguna pincelada más respecto a quién participa como «aliado».

Durante los años de experiencia que llevo en este campo he visto cómo se ha modificado el tipo de persona cercana que actúa como coterapeuta.

A principios de los noventa del siglo pasado, en la gran mayoría de los casos la persona que actuaba como coterapeuta era la madre, quizá también tenga que ver con el tipo de sustancia por la que era más habitual que se acudiera a tratamiento, heroína, y lo que suponía, desarraigo importante y no mantener ninguna relación de pareja significativa, etc. Con el tiempo y los cambios de tendencia en el consumo y posiblemente los cambios sociales acaecidos, actualmente acuden más pacientes por adicción a la cocaína y alcohol, como ya hemos mencionado; esto hace que el perfil de paciente sea distinto, al igual que la forma de intervenir, y que también nos encontremos más parejas, especialmente mujeres, que acompañan al paciente durante el proceso terapéutico. Una posible hipótesis es porque la adicción a la cocaína permite al paciente, aunque de forma muy inadecuada, mantener su relación de pareja y es ésta la que suele implicarse en el proceso.

Tengamos en cuenta que lo que estamos haciendo es generalizar, porque he visto muchos padres varones muy implicados en el proceso adictivo de su hijo, multitud de hijos que han acudido a apoyar a sus padres, parejas varones que colaboraban en la terapia de su mujer, etc.

Recordemos que la adicción no respeta sexo, ni edad, y por ello nos podemos encontrar una heterogeneidad importante de pacientes que trae consigo también dicha heterogeneidad de familiares.

Dicho esto, la familia o entorno del paciente colaborará como coterapeuta de la siguiente forma:

Aportar información

Si únicamente contamos con la información del paciente, podemos estar perdiendo datos relevantes y otros enfoques. También es interesante que el coterapeuta nos informe de cómo va viendo la evolución del caso, establecer pautas por si hay sospechas de consumo, es decir, será un apoyo a la terapia.

También le resultará de interés al familiar, ya que tendrá un espacio donde contar abiertamente la evolución de su pariente, y esto le servirá de desahogo.

Conocer estrategias de intervención

Durante el curso del tratamiento es de interés que conozcan las herramientas que estamos trabajando para que incluso ellos conozcan la terminología y colaboren sobre cuestiones abordadas. Esto, además, les permite sentirse más seguros, al observar el trabajo que se está realizando.

Presión positiva para concluir tratamiento

Hay ocasiones que si el paciente se encuentra bien, presupone que ya no necesita continuar con el tratamiento, cuando todavía quedan áreas por abordar. Aquí también el familiar puede ejercer una «presión positiva» para completar la intervención.

Otras veces, si se ha producido algún consumo, le hace querer «abandonar». De igual forma, el familiar le ha de enfocar en no «tirar la toalla» y en seguir el tratamiento para intentar aprender de lo que ha sucedido y así evitar que se repita.

Evitar la ocultación y mentira

Aunque ya lo hemos comentado en otro apartado, durante el curso del tratamiento nos encontramos algunas cuestiones que resulta ilustrativo comentarlas.

«Si le cuentas esto al psicólogo o le llamas, yo dejo de acudir a las sesiones», comentaba Lidia que le decía su pareja tras haber consumido.

Que los propios familiares oculten información para que siga yendo a tratamiento es una cuestión que a veces ocurre, pero pensemos de qué nos sirve.

La terapia supone «un tiempo y un dinero»; tanto lo uno como lo otro, si lo aprovechamos, puede ser la mejor inversión que hagan en sus vidas, y así lo reconocen muchos pacientes y familiares, pero si hacemos un «paripé», es mejor dejarlo para un momento en el que se muestre más predispuesto. Esta confrontación suele ser, en muchos casos, una semilla más que da sus frutos para no entrar en estos procesos.

También el simple recordatorio de lo abordado en otro capítulo respecto a actitudes terapéuticas, en relación al tipo de rol que asumo —«soy un vehículo para ayudarte, y no un policía, o un amigo al que decepcionas»—, suele ser suficiente.

Cómo ayudar al propio familiar

Marisa, la mujer de José, comentaba al finalizar el tratamiento: «Te agradezco mucho la ayuda que le has dado a mi marido, pero de lo que no me podía hacer idea es de lo que me has ayudado a mí en las sesiones que hemos hecho. Muchas gracias», afirmaba muy emocionada.

Hasta ahora nos hemos enfocado en cómo ayudar al adicto, pero en la mayoría de los casos, por no decir en todos, las circunstancias vividas durante tiempo por los familiares implicados han generado una situación de alto estrés que hace recomendable que ellos también tengan un apoyo psicológico.

Hay familiares que me han descrito lo que han vivido como una situación de «maltrato psicológico», y aunque los procesos cambian de un maltrato a convivir con una persona adicta, el resultado de la afectación psicológica, en ocasiones, presenta ciertas similitudes.

Algo que denota el sufrimiento vivido y acumulado en el tiempo es que cuando nos entrevistamos con una persona cercana al paciente por primera vez, y después de hablar durante tiempo de su pariente, en el momento que preguntamos ¿y tú cómo estás?, en una gran proporción de casos rompen a llorar de una forma súbita e incontrolada y normalmente cuando acaban te suelen decir «lo necesitaba», «qué bien me ha venido», ya que el enfoque ha estado hasta ahora centrado en el paciente, y ese desahogo no se lo han permitido, o por vergüenza, o simplemente por no alarmar, o por alguna otra razón.

Descarga emocional

Contar con un espacio en el que se sientan seguros, cómodos y donde puedan expresar lo que sienten, sin temor a hacerle daño al paciente o a otra persona cercana, resulta muy útil para los familiares. Esa liberación de emociones supone «soltar» lo que en muchas ocasiones han tenido contenido durante tiempo.

Así, incluso llevar un autocuidado psicológico puede ser muy beneficioso, aun cuando el enfermo no acepte ponerse en tratamiento.

Incluso cuando su hija no aceptaba el tratamiento, María acudía a las sesiones y decía: «Tengo que encontrarme lo más fuerte posible y ayudarme a mí misma y también conocer cómo puedo ayudarla».

De esta forma son innumerables los familiares que se han visto sorprendidos por lo útil que les ha resultado llevar a cabo una intervención paralela al propio tratamiento del adicto.

Carmen, la madre de Antonio, refería: «Tú me has hecho ver muchas cosas que sin tu ayuda no hubiera sido posible, y sobre todo me he podido desahogar tranquilamente».

Abordaje del sentimiento de culpa

Algo que resulta peculiar para alguien que no haya tratado a este tipo de pacientes, o que no haya vivido lo que es una adicción de forma cercana, es la frecuencia con la que aparece el sentimiento de culpa en el familiar, y digo peculiar porque qué culpa va a tener en todo esto.

Este sentimiento se observa en mayor medida reflejado en padres de pacientes, donde la pregunta es: ¿qué hemos hecho mal para que nuestro hijo/a haya caído en una adicción? Seguramente en el camino se habrán cometido errores y puede que aunque conozcamos algunas pautas sigamos equivocándonos, pues somos humanos, pero esto no determina que alguien desarrolle una adicción, ya que, como hemos mencionado en anteriores capítulos, el que alguien genere una dependencia es una cuestión multicausal. Así depende de la confluencia de una serie de factores y no de uno sólo, y que además sea «el que si yo hubiera hecho...». Como les indico, el «si yo hubiera hecho» ya no sirve y lo que tenemos que intentar es no gastar energía en cosas que no podemos cambiar, cuando además ésta en muchas ocasiones ya escasea. De esta forma, las fuerzas que nos quedan nos van a resultar de mucha utilidad para enfocarnos en cómo ayudar en el proceso de recuperación. Muy importante, digo ayudar y no que vaya a ser determinante lo que haga el familiar, dado que existe la tendencia a «cargarse una nueva mochila» que es muy pesada: «Su recuperación depende de mí».

Es importante que llegue a entender que no depende en exclusiva ni de él ni del profesional, ni de nadie, salvo del propio paciente, que es el actor principal de este proceso, siendo los demás actores secundarios, importantes, claro está, pero secundarios.

Hay un ejemplo muy descriptivo de la participación de todos los actores en el proceso de recuperación.

Pensemos en una barca de remos que puede navegar hacia una lado o hacia otro, es decir, hacia mantener la adicción o hacia el camino de la recuperación. Lo primero será elegir una buena barca, es decir, si tiene grietas puede entrar agua y nos será más difícil todo el proceso, y seleccionar una barca que se ajuste a las características de quien la va a manejar, con esto quiero decir que lo primero será ayudar a escoger un buen tratamiento para el paciente. Posteriormente podremos indicarle cómo tiene que remar para dirigirse hacia la orilla de la recuperación, pero si el paciente decide dejar de remar, hacerlo hacia otra dirección o tirarse de la barca, nosotros no podemos coger la barca y llevarla a la orilla de la recuperación, dado que el proceso lo tiene que llevar a cabo el adicto, aunque, como hemos mencionado, podremos colaborar.

Así que un objetivo será que entiendan que el que maneja la barca es el adicto, aunque le podemos ayudar alentándole e indicándole pautas para poder alcanzar antes su objetivo.

Intervenir sobre la desconfianza

Maite refería en una sesión: «Cómo me voy a quedar nuevamente embarazada, si no sé si volverá a las andadas». Estas u otras cuestiones influyen tanto al familiar como al propio paciente.

Obviamente, nosotros, como profesionales, no debemos tomar partido sobre lo que deben o no hacer, sino simplemente indicar cómo va la evolución, dar datos de si presenta o no un buen pronóstico, e indicar que aun con todo no podemos predecir lo que va a ocurrir, pero que lo recomendable es que queden las menores secuelas posibles, y en este caso, que su pareja no vuelva a probar el alcohol.

Normalmente, cualquier comportamiento que se asemeje con la época de consumo, el familiar lo vive con una alta ansiedad. Por ejemplo, si durante la fase adictiva era habitual que no contestara el teléfono, ahora si en algún momento no lo atiende, surge la duda de si estará consumiendo.

Tenemos que enseñarle estrategias para que pueda dar otras alternativas a ese pensamiento inicial: «Está en un sitio sin cobertura, se ha quedado sin batería, está en una reunión, etc.». Esto genera malestar no sólo en el familiar, sino en el propio paciente, dado que, según afirman en ocasiones, «ahora que estoy bien, no confían en mí», comentaba Daniel en una sesión. A ambas partes les pedimos que sean comprensivos.

Hay que hacerles entender que lo que les ocurre a los familiares es habitual y por otro lado lógico, dado que igual que el paciente asoció una serie de estímulos al consumo, de igual forma el familiar lo ha hecho y asocia a que en este instante pueda estar consumiendo.

Deben entender que la confianza es un proceso y no es dicotómica, es decir, o tengo confianza o no la tengo, sino que el tiempo y los hechos, si son favorables, van haciendo que progresivamente vayan desapareciendo esos factores asociados y se viva de una forma normalizada, cuestiones que son frecuentes en una vida, como quedarnos sin batería en el móvil. Esto es lo que les indicamos que significa «normalizar vuestras vidas».

Lo habitual es que con el tiempo y los hechos se normalicen algunos patrones inadecuados, lo cual ocurre en la mayoría de los casos, pero hay veces que el familiar llega a tener una desconfianza que podríamos llamar patológica; así recuerdo cómo a Pedro, después de dieciocho meses de abstinencia, su pareja le hacía un mínimo de tres controles de orina a la semana. La cuestión es que la pareja también necesitaba apoyo psicológico por experiencias anteriores que había vivido, respecto a otras parejas consumidoras, que le hacían no ver los grandes pasos que Pedro había dado.

Es cierto que, en ocasiones, esa desconfianza está fundada en hechos. Si esto ocurre, lo más recomendable es que cuando surja algún episodio sea comunicado por ambas partes, por ejemplo, «me estás preguntando porque desconfías, te explicaré lo que he hecho»; o al revés «quería preguntarte por qué no cogías el teléfono, lo tengo asociado a épocas anteriores y me da miedo». Dicha comunicación hace que se acelere el tiempo para reducir la desconfianza y que no dé lugar a malas interpretaciones.

Alteración de los roles familiares

Por último, y no por ello menos importante, destacar cómo los roles familiares se ven alterados durante el proceso adictivo, dejándose de cumplir las funciones características que cada uno desempeña. De esta forma, el adicto deja de ejercer como padre, marido, etc., y ello supone que ese hijo o esa mujer se «acomoden» a una nueva situación, y no lo decimos desde una posición de «estar a gusto», sino que se adaptan a una nueva vida.

El hecho de que el paciente inicie el proceso de recuperación implica recuperar el rol perdido, lo cual, en ocasiones, genera conflictos. Por ello debemos hacer entender, tanto al paciente como al familiar, que esto puede ocurrir y que ello no implica que no se desee la recuperación, sino que el cambio del paciente implica cambios en la relaciones muy positivos, pero que alguno puede resultar incómodo.

Fernando indicaba en una sesión que había tenido una discusión con su pareja por un tema de una reforma en la casa, ante la cual la mujer quería llevarla a cabo y él no lo consideraba oportuno. Así, refería cómo antes cuando estaba en fase de consumo, todas las decisiones domésticas las tomaba su mujer y que él, aunque no le agradara, se callaba, pensando «con la que lié ayer, como para no hacer lo que dice...», u otras cuestiones similares, y que en la actualidad deseaba volver a formar parte de la toma de decisiones. Obviamente, a la mujer esto le resultaba inicialmente incómodo, aunque no podemos dudar lo más mínimo de su alto interés en la recuperación de Fernando.

Nos encontramos multitud de casos donde se pierden los roles en la educación de los hijos, por ejemplo a la hora de poner límites, y cuando se tratan de recuperar surgen conflictos.

Otros, donde la pareja ha readaptado su vida respecto al tiempo de ocio, dado que antes no lo tenía con la pareja y ahora lo que ha construido le cuesta dejarlo y sin embargo el paciente demanda más tiempo en común, y así podríamos hablar de un largo etcétera.

Como conclusión de este intenso, pero a la vez interesante capítulo, podemos afirmar que no debemos olvidar a los familiares, ya que como hemos demostrado van a ser una parte activa en todo este proceso, tanto en la ayuda del adicto, como en su propia recuperación, respecto a la afectación que sufren por lo que han vivido.

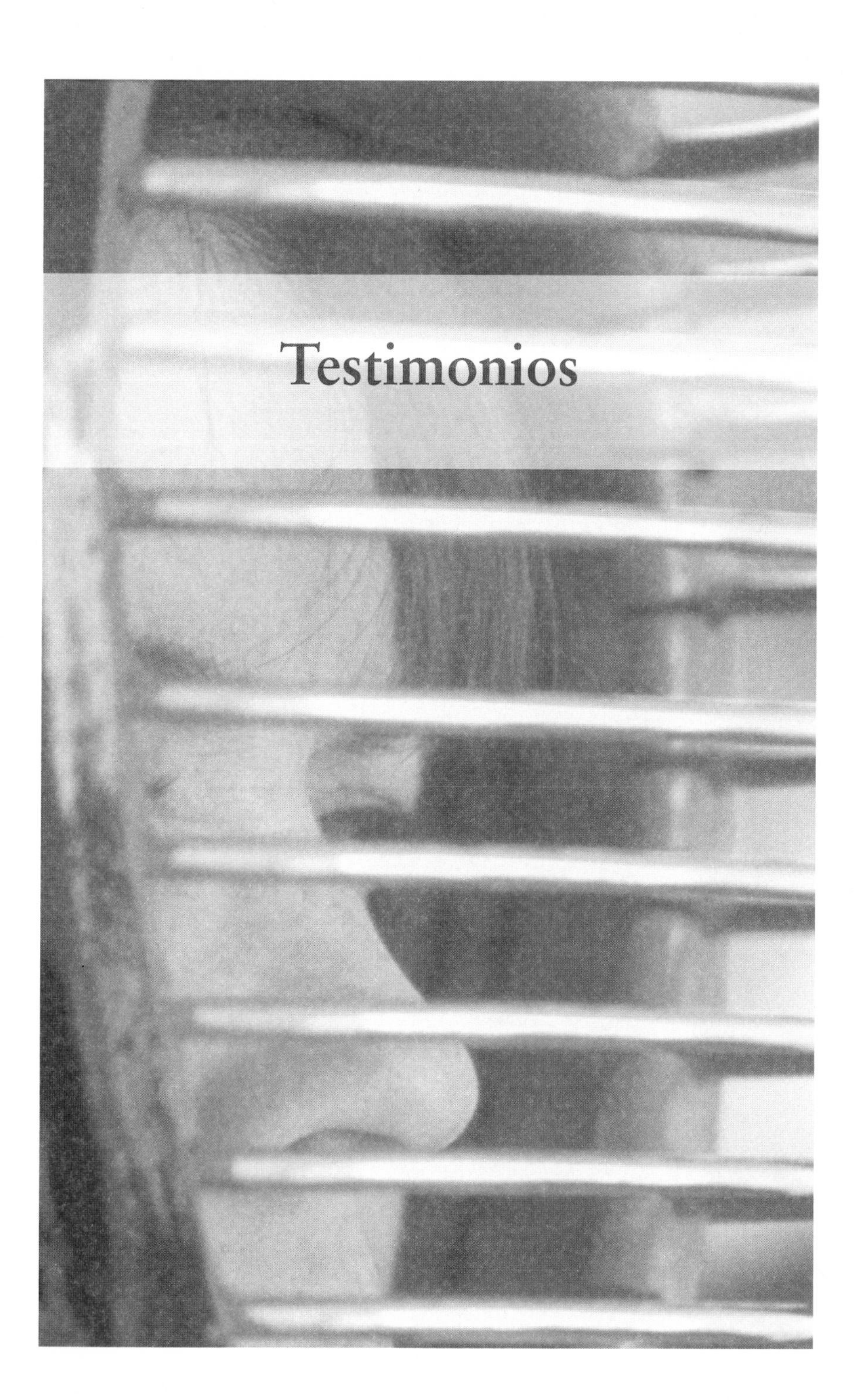

Testimonios

Durante el desarrollo del libro se han incluido multitud de testimonios de pacientes y familiares, pero entendemos que resultará más interesante indicar de una forma detallada lo que nos refieren en cartas, escritos, trabajos terapéuticos, etc., tanto los pacientes como los familiares.

Se han recogido dichos testimonios tal y como los han manifestado, por lo que no se ha modificado el contenido, la forma de expresión, para no alterar lo descrito.

Tampoco se ha querido interpretar el contenido, dando explicaciones técnicas, sino simplemente recoger lo afirmado y que el lector sea quien saque sus propias conclusiones, apoyándose en la lectura de los anteriores capítulos.

Lo que nos dicen los pacientes

En primer lugar, vamos a recoger el testimonio de Antonio, un paciente con adicción a la cocaína que después de un año de abstinencia, y una vez concluido su tratamiento, escribió lo siguiente, haciendo un recorrido desde que se inició en el consumo hasta cómo se encuentra en la actualidad.

En un principio, cuando eres joven, eres osado para todo, también para probar cosas nuevas, por resistir más alcohol, por ser el más «macho». Todo parece mera diversión, te juntas con tus amigos, te vas de fiesta, pero antes quedas en una casa o en algún sitio alejado, lo buscas y se inicia la fiesta, todo «mola» mucho, es la leche, te da por hablar, bailar, moverte, en fin, empiezas a vivir, en una «falsa fantasía», te acercas al «precipicio». No te das cuenta y así van pasando los fines de semana, en un principio no son todos, es de manera esporádica. Al inicio es uno al mes, luego vas aumentando a dos fines de semana al mes, etc. Aún todo es diversión con 19-20-21 años... todo es fiesta, pero claro, no te das cuenta ni percibes lo que te puede llegar a pasar, hasta dónde te puede afectar en tu vida cotidiana.

Cuando te inicias en el consumo de cocaína, tu vida, aparentemente, no sufre grandes cambios. Lo haces de manera esporádica y crees que no te afecta en nada, GRAN ERROR, porque sí te repercute. Desde el primer instante que lo pruebas estás iniciando una caída muy lenta hacia un precipicio. Es una caída sin pausa hacia un abismo que te toca al principio y te machaca después en todas las áreas de tu vida. En el tema económico, empiezas a gastar más, en el ámbito social te distancias de tus amigos, surgen las discusiones y problemas familiares y te afecta en el trabajo. En mi caso perdí el trabajo de una empresa que creé y en la que invertí mucho tiempo de mi vida.

Si continúas y llevas varios años metiéndote, los problemas se van agravando, te muestras agresivo, te deterioras físicamente, no te relacionas con nadie, excepto con colegas de consumo, surgen problemas familiares graves, en fin, una auténtica ruina...

La familia sufre mucho, al principio se bloquean y no saben cómo atajar el problema y lo pasan realmente mal. En mi caso mis padres son mi vida, ellos me ayudaron a salvarme.

En el ámbito laboral, no estás capacitado para desarrollar una actividad, eres un ser totalmente incapaz de hacer nada, eres como un cero a la izquierda.

En definitiva, entras en una espiral de fracasos, desastres, tristezas y desgracias que no paran de surgir por todas partes.

Los primeros días de tratamiento estás como fuera de lugar, te sientes ido, perdido, aturdido, como si entraras en un sitio y no supieras salir. Se mezclan muchos pensamientos, ideas y sentimientos, la verdad fue una situación bastante dura y empiezas a pensar mucho. ¿Por qué he llegado a esta situación? Haces retrospectiva y análisis de los años anteriores, de lo que ha sido tu vida, UN AUTÉNTICO DESASTRE.

Al poco tiempo empiezas a encontrarte como en una nube, te sientes bien, piensas que todo está ya superado, pero más adelante te das cuenta de que viene el trabajo más duro, a la vez que más importante, todo lo que implica la terapia. Te empiezas a enfrentar a la vida y eres como un niño pequeño de cuatro o cinco años que está sólo en la calle, muy débil en todo y por supuesto en lo referente a tu problema. Todo te parece tremendo y muy cuesta arriba, en cualquier situación que te surge en tu vida cotidiana.

Según avanzas vas cogiendo fuerza, pero una fuerza real, no la ficticia del principio. Vas viendo cómo va mejorando tu vida, las relaciones y cómo de pronto te empiezan a decir «Antonio, qué bien te veo». Estás empezando a consolidar lo que va a ser tu verdadera recuperación y salida del infierno en el que has estado metido.

Hay una frase que describe cómo me encuentro actualmente, «HE VUELTO A NACER». Disfruto de pequeñas cosas: jugar con mis amigos al baloncesto, ver un partido de fútbol con mi padre, tomarme un aperitivo con los amigos de siempre, charlar tranquilamente con mi hermana o mi madre, etc. Pequeñas cosas que aunque parezca mentira las había dejado de hacer. También, tal y como he aprendido en la terapia, afronto las situaciones dolorosas *que acontecen en la vida, no refugiándome, como antes, en una falsa realidad de cocaína.*

Sé por experiencia que es un camino duro, pero que merece la pena y que animo a todos los que estéis en ese infierno o empezando a quemaros a que luchéis de verdad por salir. La mejor forma poneros en manos de un buen experto.

Cuando tratamos de abandonar una adicción, no perdemos algo querido, pero sí dejamos atrás algo que nos ha acompañado, mejor dicho mal acompañado, durante una parte importante de la vida. Por ello, y para facilitar este proceso, con algunos pacientes trabajamos alguna estrategia típica de los duelos. Este término lo abordamos en Psicología cuando perdemos algún ser querido o se rompe una relación de pareja y pasamos por un proceso de pérdida.

Seguidamente reproducimos la carta de despedida que escribió José a la cocaína, habiendo pasado un mes y medio desde una caída que sufrió estando ya en tratamiento y después de cinco meses de abstinencia:

Por fin, después de varios y varios intentos he conseguido ponerme delante de estos folios para escribirte... mejor dicho para despedirme de ti.

Tras tantos años de relación, ya ha llegado el momento de romper contigo, ya no necesito ni quiero saber nada más de ti. Cierto es que hace muchos años cuando te conocí me impactaste y tu fuerte atracción me hizo no ver con claridad en lo que me podías llegar a convertir.

Ahora, cansado de esta estúpida relación, de la que definitivamente no he sacado nada positivo, me paro a hacer una reflexión detallada de todo este tiempo en el que mi vida ha estado estrechamente ligada a ti y me doy cuenta que pesa, y con una bestial diferencia, más la balanza del lado negativo que la del positivo.

Sí, en un principio, quizá por la atracción que siento por el riesgo y por todo aquello que denominan «peligroso», provocaste un fuerte sentimiento de atracción hacia ti, y todo esto, unido a mi poco sentido común, me ha llevado al punto en el que me encuentro hoy. Sí, me convertí en un «adicto» a ti, esto quiere decir que no era capaz de hacer nada si tú no te encontrabas conmigo. Así es que cada vez más y más necesitaba tomarte y que entraras en mi cuerpo para sentirme seguro de mí mismo, falso sentimiento de seguridad, ¿verdad?..., pero así era.

Con el tiempo esa relación se fue convirtiendo en una estrecha y permanente sociedad, hasta llegar al punto que toda mi vida giraba alrededor tuyo, la gente con la que me relacionaba, los lugares que frecuentaba, siempre buscándote, deseando tenerte cerca de mí, creía que me hacías bien, que «yo» nunca llegaría a ser una de esas personas que se convertían en tus «esclavos», absurdo, ¿verdad? A cualquiera le puede pasar, por qué yo iba a ser diferente o inmune... y así ocurrió, acabaste derrotándome, conseguiste hacerme primero tu aliado, e incluso que te admirase, hasta que llegó el día y la «raya» que me superó, consiguiendo que mi vida cambiase. Ni sé en qué momento, ni qué raya me llevaron a esa fase o etapa, en la que un consumidor se convierte en «adicto» y que por propio conocimiento y experiencia puedo llegar a calificar de tremendamente dolorosa.

Cuál llegará a ser tu poder que hasta hace un tiempo me has hecho recaer con ese «autoengaño» que tú consigues manejar con gran maestría, y después de no haber cumplido con una serie de pautas que me he propuesto seguir, me volví a encontrar derrotado por ti.

Pero quiero decirte finalmente que en estos últimos meses he descubierto que hay otra vida, ¡qué narices!, «la vida» que merece la pena, y en ésa no entras tú, no tienes cabida. Hay personas que no quieren saber de ti, sitios en los que no has conseguido entrar, y mogollón de cosas que hacer para las que tú no haces ninguna falta... Es cierto que tendré momentos de dudas, de confusiones, pero he llegado a la conclusión y a la certeza de que con mucha fuerza de voluntad y cumpliendo el resto de mi vida esas pautas que yo mismo me he establecido seguir, no es nada difícil mantenerte a «raya», nunca mejor dicho.

Sin más, falsa compañera, y con estas líneas que te he escrito, pongo punto y final a nuestra relación, que tantos y tantos dolores de cabeza me ha proporcionado a mí y a otros seres queridos. ADIÓS, y espero que igual que yo, muchas otras personas antes o después finalicen contigo todos los lazos que les puedan unir a ti.

A continuación recogemos una entrevista que realicé a Jesús después de once meses de abstinencia. Dicho paciente tuvo varias caídas durante su proceso terapéutico, pero decidió continuar en tratamiento (fueron dos años de terapia) y éstas son sus respuestas.

¿Cuándo te iniciaste en el consumo de cocaína?

Mi primera vez fue con veinticinco años..., me asusté por el efecto, no podía dormir, no tenía ganas de comer y estuve un año sin volver a tomarla. Luego pasé a consumir algunos fines de semana, hasta que pasó a ser casi todos. Con el tiempo incluía algún día de la semana poniendo alguna excusa, hasta llegar a tomarla en mi última fase casi a diario.

¿Consumías antes otras sustancias?

De joven tomaba hachís, especialmente durante la mili, pero lo dejé y únicamente de forma muy puntual he tenido algún consu-

mo. Respecto al alcohol, nunca he tenido grandes consumos, pero cuando consumía cocaína, el consumo de alcohol es cierto que aumentó considerablemente.

¿Cuándo eres consciente de que tienes un problema?

Fui consciente hace tiempo, cuando empecé a darme cuenta de que el consumo pasaba a ser diario, y así estuve unos dos años. Lo intentaba dejar y me decía «lo voy a dejar», y luego al acabar el día me veía consumiendo. Hubiera sido más sencillo si hubiera pedido ayuda, pero quería quitarme sin que nadie se enterara.

¿Te fue fácil entender que eras un adicto?

Para mí sí fue fácil entender que era un adicto y que tenía una enfermedad e incluso fue un descanso. No es que fuera una mala persona, sino que era un cocainómano. Lo difícil fue reconocerlo con mi gente cercana, ya que lo había escondido.

¿Antes ya te lo indicaba gente de tu entorno?

A mi familia se lo escondía y mentía constantemente, así que creían que tenía una amante, pensaban también que me drogaba, porque estaba irascible, poco implicado, pero lo negaba, hasta que ya me fue imposible.

¿Qué consecuencias ha tenido en tu vida la adicción?

Con lo que quiero a mi mujer, la cocaína estuvo a punto de separarnos. Tuve que dejar un trabajo en el que llevaba casi veinte años, perdí la relación con la gente, aunque luego la recuperas. Siento que tengo un lado oscuro en mi vida que hay gente que no conoce; por ejemplo, mis padres son mayores y están enfermos y no se lo he contado. El gasto económico nos llevó a una situación muy complicada que todavía seguimos arrastrando.

Antes de iniciar el tratamiento, ¿intentaste dejarlo?

Multitud de veces pensaba «esta va ser la última raya», y al rato estaba nuevamente igual.

¿Qué significaron para ti las caídas que tuviste inicialmente?

Era una lucha interna, pensaba en las consecuencias que me acarreaba, me hundía y tenía mucho miedo a que me dejara mi mujer. Me sentía avergonzado, no me atrevía a mirar a la gente. Era muy duro venir a verte después de lo que has luchado conmigo y me dolía mucho ver tu cara de decepción cuando te contaba una recaída.

¿Por qué no has vuelto a recaer?

Decidí de una forma definitiva alejarme de todo mi entorno de consumo. Cada día me decía que no y afirmaba que si había estado un día, por qué no otro, y así sucesivamente. Cuando llevaba una semana me decía «no puedes tirarlo por la borda». Además empezaba a notar que mi vida mejoraba, que recuperaba una vida normal y no lo cambio por nada. Con el tiempo, el gusanillo del consumo cada vez es menor, y a día de hoy casi ni pienso en ello.

¿Piensas que puedes volver nuevamente al consumo?

Sinceramente creo que no, se me ponen los pelos como escarpias sólo de pensar volver a no estar tranquilo, con lo bien que vivo ahora. Además, no cambio mi vida actual por nada del mundo. Nunca puedes saber lo que ocurrirá, tú me lo has dicho muchas veces cuando te decía que ya no saldría de esto. Pero ahora, si miro al futuro, me veo en un parque con mi hijo y mi mujer, jugando y disfrutando los tres, y ahí la cocaína no entra.

¿Has echado de menos el consumo en algún momento durante el tratamiento?

Desde que decidí firmemente romper con la cocaína y su entorno he tenido momentos al principio de deseo, pero con el tiempo son sólo ideas que se me pasan por la cabeza y cada vez menos, pero apoyándome en todo lo que me has enseñado igual que vienen se van.

¿Qué recomendarías a alguien que tuviera un problema adictivo?

Que intentara dejarlo, pero para ello creo que se necesita primero tener ganas de verdad de salir de esta mierda y segundo buscar ayuda profesional, porque solo no vas a salir, o al menos eso era lo que a mí me ocurría. Le diría que no siga así, que puede terminar tirando su vida a la basura.

¿Qué significa para ti once meses sin consumir?

Siento mucha alegría, pues pensé que no lo conseguiría. En algún momento se me venía a la cabeza tirar la toalla y ahora me siento muy feliz por haber seguido mi tratamiento. Ha sido como volver a nacer, con ganas de luchar y vivir, disfrutando de pequeñas cosas, como dar un paseo con mi mujer.

¿Cómo te has sentido durante la entrevista?

Me han venido muchos recuerdos a la cabeza, las veces que he llorado aquí contigo, cómo he llegado a desear no seguir viviendo, maldita sea la hora en que probé esta mierda, los destrozos que estaba haciendo, pero también me ha reforzado en el camino que he empezado a andar y que espero que sea para toda la vida. Ahora las cosas son distintas y soy más positivo. Charlar contigo me resulta muy cómodo. Gracias por tu ayuda.

Lo que nos dicen los familiares

A los familiares les hemos dedicado un capítulo completo, con el objetivo de explicar los diferentes procesos y situaciones que viven, pero nada resultará más cercano e ilustrativo que conocer de primera mano lo que sienten y cómo lo describen.

Inmaculada, una amiga íntima de Ángel, escribe lo siguiente de él cuando éste llevaba cinco meses en tratamiento por su dependencia de la cocaína, lo cual nos sirvió de análisis durante la terapia:

Hace tiempo, Ángel era una persona mucho más nerviosa, con la que era difícil discutir de alguna cuestión, puesto que no había forma de que te escuchara. Estaba continuamente inquieto y parecía que le faltaba el tiempo para hacer las cosas, siempre quería todo rápidamente y si no se lo dabas enseguida se cabreaba. Estaba siempre planeando cosas, las cuales en la mayoría de las ocasiones no cumplía. Quería tener todo bajo su control y cuando algo se le descuadraba, ya no se sentía a gusto, empezaba a caerle mal alguien y al final había que marcharse de donde estuviéramos. Era muy irritable, no sabía entender una broma y se cabreaba, lo cual hacía que no supiera si decirle algo, por si acaso.

Ahora se aprecia un cambio bastante notable, porque ya no anda con ese nerviosismo por la vida, ni es tan impaciente como lo era antes. Por ejemplo, cuando viene a verme a la peluquería y en ese momento estoy ocupada con una clienta, se sienta y ojea una revista tranquilamente, hasta que termino y puedo estar con él. Antes no tenía esa paciencia y si estaba ocupada, ni siquiera se sentaba a esperar y se iba malhumorado. Ya no tiene esa mirada de velocidad, escucha más que antes y habla más despacio. Es más paciente a la hora de enfadarse por algo y no salta cabreado y alterado como le solía ocurrir tan a menudo. Ahora, cuando dice que va a hacer algo, bien sea ir a un sitio, preparar un plato de cocina, o cualquier otra cosa que diga que va a realizar, estoy segura de que lo va a hacer, porque no falla como antes y, durante y después de llevar a cabo cualquiera de sus planes, el brillo que tiene en la cara y en su mirada no tienen precio. Tiene un entusiasmo que contagia a los demás y nos da vida. Es mucho más gracioso y vivo a la hora de contestar a los demás para crear situaciones con chispa. Mucha gente me pregunta que si toma alguna cosa y no me canso de repetir que no le hace falta nada, porque él tiene los efectos de cualquier droga y mucho más, porque lo suyo ahora es natural y eso no tiene precio.

Estos cambios han hecho que no tenga que estar pendiente de cómo le veo para ver si puedo decirle algo o no, es decir, estar constantemente cohibida, como antes estaba. También me he relajado, porque pensaba que cualquier día le daría algo en uno de sus excesos, así que cuando llegaban las noches y el fin de semana trataba de estar con él, muchas veces, simplemente para controlarle, aunque ya no me apetecía tanto verle. Ahora puedo afirmar que cuando estoy con él me siento tranquila, alegre, relajada, con confianza para poder decirle cualquier cosa, como siempre ha sido nuestra amistad y espero que continúe siendo.

Álvaro, un paciente con problemas de consumo de alcohol. Tras llevar a cabo su tratamiento, durante un año, pedí a su familia que acudiera a acompañarle a la última sesión y que le escribieran unas palabras.

La única indicación que les di es que detallaran cómo le veían cuando estaba consumiendo, cómo le veían en la actualidad, de qué forma influyó en ellos su conducta de beber y cómo se encuentran actualmente.

Seguidamente se detalla la opinión de sus dos hijos, su mujer y su hermana.

Su hijo Luis narra lo siguiente:

¿Cómo lo veía antes?

El cambio ha sido tan importante que afortunadamente hay que hacer un poquito de memoria para recordar los aspectos negativos. No obstante, como hijo, mi punto de vista sobre él y la situación que se había generado era de absoluta desesperación. La figura de mi padre se había venido abajo, en su lugar existía una persona tremendamente irascible, sin ningún criterio, una persona que era capaz de mentir a su propia familia, que se consumía poco a poco, cada vez con menos credibilidad y sin ningún respeto por los demás, ni por sí mismo. En definitiva, la figura de mi padre, objeto de admiración, respeto y cariño comenzaba a cristalizarse en mi cabeza, como la figura de una persona que hacía sufrir a su familia, que amenazaba la salud de los componentes de la misma, y sobre todo como la sombra de un individuo que había iniciado el camino de manera apresurada hacía un lugar denominado soledad.

¿Cómo me influía su conducta?

Pues con una sola palabra puedo resumirlo: «enfermedad». Su conducta estaba agravando cada vez más mis problemas. De estar saliendo de una depresión a hundirme un poquito más con cada episodio acaecido. La reducción de la medicación me resultaba imposible, la impotencia, la desconfianza y la sensación a cada momento de que desde mi casa me iban a comunicar un nuevo episodio, me estaba metiendo otra vez en un pozo del que llevaba intentando salir desde hacía bastante tiempo.

¿Cómo lo veo ahora?

El cambio ha sido tan importante, que como decía anteriormente cuesta un poco recordarlo, y cuando lo hago no parece que la situación se diese hace un año, sino que es como si hubiera ocurrido muchos años antes. Este aspecto muestra que la confianza tantas veces mermada por él ha sido recuperada de una manera sorprendente, gracias a sus hechos. Hoy en día, mi padre se ha vuelto a ganar mi respeto, mi cariño, que aunque nunca lo perdió, sí se iba mermando día a día; mi admiración al reconocer y superar el problema que segundo tras segundo nos iba alejando más al uno del otro. Ha vuelto a dar estabilidad a su vida profesional y sobre todo se ha dado un respeto a sí mismo que nadie se lo puede quitar.

¿Cómo me afecta actualmente?

Ya no existe el miedo a que suene el teléfono comunicando un nuevo episodio, sus palabras ya no generan dudas, me asombra ver cómo se sienta junto a personas que consumen alcohol y él lo tiene superado. Pero para mí hay un detalle que lo resume todo: a fecha de hoy, mi hija de tres años cuando está con él sé que está en las mejores manos (hace un año no quería que mi hija estuviera a solas con él).

María, su hermana, nos da su visión.

¿Cómo lo veía cuando consumía?

- *Despreocupado, cosa insólita en él.*
- *Inseguro y con miedo, le aterraba quedarse sólo con su mujer por si, debido a su enfermedad de diabetes, lo necesitaba y no podía ayudarla, produciéndole una gran angustia.*
- *Dependiente y con falta de personalidad.*
- *Despistado y poco comunicativo, se aislaba metiéndose en la cama, en la música o la lectura. No participaba de las conversaciones familiares y, si lo hacía, sus respuestas eran monosílabos o exclamaciones.*
- *Con poco interés por el trabajo, siendo un hombre luchador, no se sentía con fuerzas para solventar cualquier situación que se le planteara.*

- *Nervioso, irascible y con mucha ansiedad.*
- *Muy sensible, cuando hablaba con él me reconocía su estado, del cual quería salir y lloraba fácilmente.*
- *En el último estadio de su enfermedad estaba agresivo verbalmente.*

¿Cómo me influía su consumo?

Me sentía física y anímicamente mal, con mucho dolor por los siguientes motivos:

- *Por su salud, había luchado mucho por recuperarse de sus dos enfermedades anteriores y, al no ser consciente de su problema con el alcohol, lo veía deteriorarse y pensaba que podía perder la vida por su patología.*
- *Por su mujer e hijos, porque los veía sufrir y llorar por él, lo que me producía ansiedad y se traducía en que mi pensamiento estaba constantemente con él y esto hacía que durmiera poco, me despertara sobresaltada, porque creía oír el teléfono, estuviera cansada, con dolores de cabeza y musculares por la tensión acumulada. En resumen, tenía mucha tristeza, que la paliaba llorando.*
- *Por su trabajo, ya que pensaba que sus compañeros podían faltarle al respeto y humillarlo, máxime cuando ha sido altamente considerada su profesionalidad.*
- *Me encontraba mal conmigo misma, me costaba mucho indicarle la situación que estábamos viviendo por él, le regañaba mucho y me ponía muy fuerte con él, y como me toleraba todo lo que yo le decía, pensaba si en algún momento de mi conversación podría haber llegado a faltarle al respeto, cosa que me producía un gran malestar, sintiéndome además, incapaz para ayudarle.*

¿Cómo le veo actualmente?

Muy bien, ha ido evolucionando positivamente, poniéndose de manifiesto en nuestros viajes. Le veo:

- *Más seguro de sí mismo, vuelve a interesarse y a luchar por su trabajo que, por otra parte, es esencial para él.*
- *Más comunicativo y conversador, ya habla de cualquier tema e, incluso, lleva la iniciativa.*
- *Comenta los libros que lee y no necesita releerlos para comprenderlos.*
- *Cariñoso en el trato y pendiente de los demás.*
- *Más tranquilo, aunque, a veces, lo notamos un poco intolerante ante determinados comportamientos que suelen estar relacionados con su trabajo e inquietudes.*

¿Cómo me siento en la actualidad?

Muy bien, porque le veo:

- *Contento.*
- *Alegre.*
- *Con ganas de hablar.*
- *Con fuerzas para viajar, incluso él organiza los viajes.*
- *Sociable.*
- *Interesado por su trabajo.*

Todo ello me produce alegría porque ha cambiado el ambiente familiar, empieza a ser el de siempre. Cuando estamos la familia reunida se le nota más participativo, activo y comunicativo.

No obstante, y pese a verlo bien, no puedo evitar recordar lo mal que lo hemos pasado y me aterra la idea de que pudiera volver a la situación anterior, aunque confío tanto en él que estoy segura de que no volveremos a vivir los tiempos pasados.

Elena, su hija, nos aporta sus comentarios:

¿Cómo lo veía antes?

Antes lo veía como una persona apagada, sin alegría, le daba todo igual, en cuanto bebía le entraba una excitación anormal.

Se le notaba mucho, aunque él no se daba cuenta, hacía cosas raras, estaba torpe de mente, de movimientos... Contaba cosas que no tenían mucha importancia, de forma reiterada. Si intentabas razonar con él, siempre te decía que todo estaba perfecto. Entonces nos enfadábamos y se le ponía muy mal genio, incluso resultaba brusco. Aunque en cuanto se le pasaba era como si nada hubiera ocurrido, no era él.

¿Cómo me influía su consumo?

Yo lo he llevado muy mal, igual que todos. Muchas noches he tenido pesadillas con este tema. Tengo un carácter fuerte, aunque es en el momento, porque luego se me pasa y soy todo lo contrario, muy sensible.

Mi reacción, cuando le veía, era enfadarme mucho, le recriminaba, le decía cosas que no sentía para ver si reaccionaba. No soportaba verlo así, me ponía muy arisca y rabiosa.

Hasta que al final, justo antes de ponerse en tratamiento, lo veía débil, como un niño que necesitaba ayuda, y entonces me daba mucha pena y tristeza, lo cual me hacía acabar llorando.

¿Cómo lo veo ahora?

Ha vuelto a ser la persona que siempre ha sido: sensible, tranquilo, con ganas de agradar a todo el mundo. Te ayuda y te da consejos ante cualquier duda o problema que puedas tener. Se muestra muy cariñoso y familiar, estando totalmente integrado en todo lo que ocurre alrededor de nuestra familia.

Su mente la tiene al 100 por 100, está totalmente despejado, despierto, rápido, vamos que «no se le escapa ni una». Muy perfeccionista en su trabajo, como siempre.

¿Cómo me siento a día de hoy?

Todo lo anterior ya ha pasado, lo hemos superado y ha vuelto a la normalidad. Estoy tranquila y muy feliz de ver lo valiente que ha sido, aunque su valentía me la ha demostrado muchas veces. Una de ellas, cuando lo operaron por segunda vez del riñón. La primera era muy pequeña y no me enteré de nada. Se me quedó grabado que nunca se quejó de nada, ni un dolor, dispuesto a todo lo que decían los médicos. Dejó de fumar y no volvió a probar un solo cigarrillo, después de que fumaba dos cajetillas.

Ahora tengo que sumar cómo ha superado lo del alcohol y el cambio que ha dado en este año.

Su fuerza de voluntad me admira, ojalá pudiera ser yo como él. Estoy muy orgullosa de él, es un modelo a seguir.

Por último, Andrea, su mujer, realiza la siguiente reflexión:

Ha sido una etapa larga y dura. Físicamente sufrió un cambio evidente, la coloración de la piel pasó a ser rojiza. Su mirada perdida cuando no colérica. Sufría somnolencia a lo largo del día y especialmente después de ingerir alcohol en las comidas. Confusión mental y torpeza, incluso al andar. Llegó un momento en que para no sentirse acusado comenzaba a beber en solitario. Por otro lado, aparecieron conductas violentas con problemas de relación con los miembros de la familia, incrementándose su mal humor, sobre todo cuando le sacábamos el tema del alcohol, con reacciones inesperadas y fuera de lugar. Siempre buscaba el alcohol para hacer frente a la actividad cotidiana, incluso bebiendo a primera hora del día.

¿Cómo lo veo ahora?

Empieza a recuperar su personalidad de hombre sociable, simpático y cariñoso. Ha hecho un gran esfuerzo para superar un problema que le costó asumir. Las relaciones familiares han vuelto a la normalidad, especialmente con los hijos. Vuelve a mostrarse más participativo en las conversaciones y más tranquilo y sereno.

Todos hemos acusado el problema de su adicción, pero quizá yo de una forma más aguda, dado que fui comprobando que la persona que conocí estaba perdiendo los valores que me hicieron compartir mi vida con él. La intranquilidad era el signo más evidente, cada vez que salía de reuniones y comidas, porque sabía que su vuelta a casa sería en condiciones anormales. Posiblemente, mi carácter también cambió, porque me cansé de escuchar siempre mentiras sobre su cambio de comportamiento. No estaba nunca segura de nada y siempre con el temor de que me avisaran para ir a recogerlo a cualquier bar, o incluso al hospital y con temor a sus reacciones violentas.

Después de este tiempo de tratamiento me siento tranquila y relajada. Me acuesto con la seguridad de que su vuelta a casa será sin haber tomado alcohol, y esa paz creo que empieza a dejarse notar en la convivencia familiar y de pareja. Estoy segura de que día a día recuperará sus ganas de relacionarse con amistades y disfrutará de actividades que en otro tiempo fueron importantes para él.

Marisa, a los dos meses del alta de José, su marido, escribió lo siguiente:

¿Qué significó para mí que José tuviera problemas con el alcohol?

Pues supuso un gran fracaso, frustración, amargura, llanto al principio en silencio y a escondidas, tapándole, y luego sin poder esconderlo. También supuso tener que tirar de la casa sola, ser madre y padre, tener que mentir por él a su familia, a la mía, a los vecinos, compañeros de trabajo y amigos. Supuso un malestar general, un querer y no poder. Una soledad grande al lado de una hija pequeña y otra en camino.

Lo viví muy mal, porque sabía lo que él era y en lo que se había convertido, que no le llevaba a nada bueno. Sabía que poco a poco nos estábamos separando y que el amor se estaba acabando y cambiando por rutina y estar con él por la niña y el bloqueo mental que tenía. Ver cómo Raquel (nuestra primera hija) me decía que papá no era bueno me llenaba de dolor y de rabia. Viví muy mal las mentiras constantes y las desconfianzas, el miedo a todo: a que saliera solo, a que viniera mal, o tuviera algún problema o altercado con alguien.

Le veía que cada vez se iba metiendo más y más en un pozo sin salida, que él mismo sabía, pero que no era capaz de querer ver. Unas veces por su poca fuerza de voluntad y otras por su ceguera adquirida y su estado de alcoholismo continuo.

Que se pusiera en tratamiento lo viví con esperanza y con gran miedo a que todo se fuera al «garete» en cuanto su fuerza de voluntad fallase.

Por una parte, el que accediese al tratamiento me llenaba de alegría y de esperanza, pero al principio siempre estuve alerta y quizá esperando un fracaso en cualquier momento. Era demasiado bonito para ser verdad, pero poco a poco me fui relajando y comprobando que era verdad, que se estaba curando y que todo se estaba arreglando.

Le veía llevarlo tan bien y de manera tan sencilla que eso me hizo estar tranquila y confiar más en el final deseado.

Su alta fue muy emocionante, por lo menos por mi parte, y aunque él no habla casi nunca de sus sentimientos, sé que para él también lo fue. «LO HABÍA CONSEGUIDO» («lo habíamos conseguido»).

En la actualidad me encuentro muy bien, porque le veo muy centrado y seguro de todo. La cerveza y el vino están en casa y para él sólo sirven para ofrecérselo a sus amigos y familiares.

Aún me parece que la confianza plena al 100 por 100 no la tengo, aunque confío muchísimo en él. Pero el haber vivido una experiencia como ésta va a ser difícil que en algún momento no se me pase por la cabeza alguna desconfianza sin motivo o algún mal pensamiento. Es muy difícil olvidar lo vivido con tanta intensidad. Sólo espero que el tiempo vaya haciendo que si no un 100 por 100 por lo menos un 99,9 por 100 sí que lo sea.

Filmografía: Las adicciones en el cine

LEAVING LAS VEGAS

Año	1995
País	Estados Unidos
Duración	112 minutos
Dirección	Mike Figgis
Producción	Lila Cazès y Annie Stewart
Guión	Mike Figgis, basado en una novela de John O´Brien
Música	Mike Figgis
Fotografía	Declan Quinn
Reparto	Nicolas Cage, Elisabeth Shue, Julian Sands, Richard Lewis, Valeria Golino, Steven Weber, Kim Adams, Emily Procter y Stuart Regen

Sinopsis: Película protagonizada por Nicolas Cage y Elisabeth Shue, por cuyas interpretaciones ambos actores resultaron nominados al Óscar al mejor actor, aunque sólo Nicolas Cage consiguió ganar el premio. Basada en la autobiografía de John O'Brien, quien se suicidó pocos meses antes del estreno de la película.

La primera imagen es una clara representación de lo que es el desarrollo de la película: Ben Sanderson comprando en un supermercado, únicamente, multitud de botellas de alcohol.

Ben cae en una espiral autodestructiva tras su divorcio. Así pierde a un amigo tras pedirle dinero estando bebido, le despiden del trabajo, bebe alcohol mientras conduce, etc. Tras estos acontecimientos, toma la decisión de irse a Las Vegas con la idea de beber hasta la muerte. Allí conoce a Sera, una prostituta maltratada y con fuertes carencias afectivas, por lo que se «engancha» a Ben generando una relación de cuidado y dependencia, en donde el amor, el alcohol y la dependencia mutua marcan la historia de dos personas que no tienen nada que perder.

Durante la película observamos los estragos que un consumo tan abusivo de alcohol genera: temblores, lagunas mentales, problemas sexuales y en general un deterioro cada vez más evidente que le conduce a la muerte, sin que Sera pueda llegar a convencerle para que realice un tratamiento.

DÍAS DE VINO Y ROSAS

Año	1962
País	Estados Unidos
Duración	117 minutos
Dirección	Blake Edwards
Producción	Martin Manulis
Guión	J. P. Miller
Música	Henry Mancini
Fotografía	Philip H. Lathro
Reparto	Jack Lemmon, Lee Remick, Jack Klugman, Alan Hewitt, Jack Albertson, Tom Palmer, Debbie Megowan, Maxine Stuart y Ken Lynch

Sinopsis: Joe Clay conoce a Kirsten Anudsen, una brillante secretaria, la cual es abstemia. Se enamoran y se acaban casando. Fruto de su matrimonio tienen un bebé y todo parece irles muy bien, pero Joe bebe cada vez más y, lo que es peor, arrastra también a su mujer al consumo, lo cual les genera grandes consecuencias. Joe pierde su trabajo, y su mujer, en estado de embriaguez, y no siendo consciente de sus actos, provoca un incendio con un cigarrillo en la casa.

Ambos desarrollan un alcoholismo y en los instantes de sobriedad piensan en cómo dejar la bebida, haciéndose propósitos que no llegan a cumplir.

La forma en la que Joe «toca fondo» es al ver su imagen reflejada en un escaparate. Tras no reconocerse a sí mismo, piensa ¿quién será este borracho? Cuando se da cuenta de que es su propia imagen, toma consciencia de su problema y decide dejar de beber apoyándose en grupos de autoayuda.

Durante su proceso de recuperación, entre otras cuestiones, se aborda la culpa que siente por haber inducido a su mujer al consumo de alcohol.

La película refleja cómo se desarrolla la adicción al alcohol a lo largo del tiempo en dos personas tan diferentes.

Supone una magnífica actuación de Jack Lemmon, quien desarrolló problemas con el alcohol en la vida real.

HISTORIAS DEL KRONEN

Año	1999
País	España
Duración	95 minutos
Dirección	Montxo Armendáriz
Producción	Elías Querejeta
Guión	Montxo Armendáriz y José Ángel Mañas
Música	Varios (Australian Blonde)
Fotografía	Alfredo Mayo
Reparto	Juan Diego Botto, Jordi Mollá, Nuria Prims, Aitor Merino, Armando del Río, Cayetana Guillén Cuervo, Mercedes Sampietro, José M.ª Pou, Iñaki Méndez, André Falcón, Pilar Ordóñez, Eduardo Noriega, Diana Gálvez e Iñaki Méndez.

Sinopsis: Carlos, un estudiante de 21 años, lleva su vida «al límite», asumiendo el riesgo como su forma de vida. Se siente fuertemente atraído por la provocación y la transgresión de las normas.

Durante el verano, todas las noches se reúne con sus amigos en el Kronen, un bar en el que el consumo de alcohol y otras drogas es algo habitual. Así cada noche hace lo mismo: sale de bares y discotecas, bebe, se droga, intenta practicar sexo y vuelve a su casa a altas horas de la mañana. Esto le lleva a dormir de día y vivir de noche.

Se distancia de las emociones hasta el punto de mostrar frialdad ante la muerte de su abuelo, o verbalizar que la amistad no existe, buscando como foco en la vida la satisfacción inmediata. «Mañana no existe», relata durante una escena. No le importa la forma de conseguir lo que sea, liarse con la novia de un amigo, robarle a su madre para poder comprar drogas, etc.

En una de sus fiestas se produce un resultado trágico al fallecer uno de los miembros del grupo. Dicho amigo sufre problemas de salud y es forzado a beber por Carlos, amparado por el resto del grupo, siendo esta escena grabada en vídeo como una forma de divertimento.

RÉQUIEM POR UN SUEÑO

Año	2000
País	Estados Unidos
Duración	102 minutos
Dirección	Darren Aronofsky
Producción	Eric Watson y Palmer West
Guión	Hubert Selby Jr. y Darren Aronofsky
Música	Clint Mansell
Fotografía	Matthew Libatique
Reparto	Jared Leto, Ellen Burstyn, Jennifer Connelly y Marlon Wayans

Sinopsis: La película se divide en tres estaciones: verano, otoño e invierno.

La historia comienza en verano. Sara, una viuda que vive en un apartamento de Brooklyn, pasa la mayor parte del tiempo sentada frente al televisor, comiendo. Su hijo Harry sólo va a casa para empeñar el televisor, coger dinero, etc., para poder pagarse su adicción a la heroína. Sara disculpa constantemente a su hijo.

Cuando recibe una supuesta llamada para asistir a un programa de televisión que ve habitualmente, su vida cambia completamente. Comienza una dieta, con el fin de volver a ponerse su vestido rojo, el cual utilizó en la graduación de Harry, y comienza a tomar anfetaminas recomendadas por un médico para bajar peso. Harry se da cuenta del nuevo comportamiento de su madre y le pide que deje de tomar las pastillas. Sara le explica que la muerte del padre de Harry la afectó demasiado, y que adelgazar se ha convertido en su única razón para vivir.

Mientras tanto, Harry, junto a su novia y un amigo, comienzan a traficar, viendo este tipo de vida como una oportunidad para mejorar.

En otoño, Sara sigue aumentando la dosis de sus pastillas, con lo que comienza a tener alucinaciones, donde se ve como invitada del programa de televisión.

Por otro lado, el amigo de Harry es arrestado, y mientras el «camello» es asesinado por una banda rival. Estas circunstancias hacen que cada vez sea más complicado que les suministren drogas, al tiempo que la adicción está fuertemente instaurada. Esto hace que Harry empiece a alterar valores, ya que no quería que su novia se viera con un hombre, se mostraba celoso, y sin embargo ahora la anima a que lo haga para sacarle dinero.

En invierno, Sara, en un episodio delirante, sale de su casa en dirección al estudio de televisión para saber por qué aún no la han llamado. Cuando llega está desaliñada e incoherente, por lo que la policía se la lleva a un hospital, ingresando en psiquiatría.

Mientras Harry y su amigo viajan a California con el objetivo de encontrar drogas de manera más fácil. A su vez, la novia decide prostituirse con un traficante, el cual le entrega droga a cambio de sexo. Éste le invita a una fiesta, a la que accede a ir ante la necesidad de seguir drogándose.

Harry decide ir al hospital por las infecciones que tiene en su brazo consecuencia de los múltiples pinchazos para inyectarse su dosis. El médico llama a la policía, siendo ambos detenidos.

La historia muestra cómo los sueños de cada personaje se rompen. El brazo de Harry es amputado debido a que su infección se transformó en gangrena, terminando en la cárcel. Sara recibe terapia de electroshock y es ingresada en un psiquiátrico. Tyrone, el amigo de Harry, acaba igualmente en la cárcel. Su novia va a la fiesta, donde practica sexo con otra mujer mientras un grupo de hombres las rodean.

28 DÍAS

Año	2000
País	Estados Unidos
Duración	100 minutos
Dirección	Betty Thomas
Producción	Jenno Topping
Guión	Susannah Grant
Música	Richard Gibas y James Raymond
Fotografía	Declan Quinn
Reparto	Sandra Bullock, Viggo Mortensen, Dominic West, Diane Ladd, Elizabeth Perkins, Azura Skye, Steve Buscemi y Alan Tudyk

Sinopsis: Gwen Cummings es una escritora que lleva una vida desenfrenada, de alcohol y drogas, compartiendo dicho estilo de vida con su novio Jasper. Se aprecia cómo casi incendian la casa, llegan tarde a la boda de su hermana, etc.

Gwen, en la boda de su hermana Lily, se emborracha, llevando a cabo comportamientos inadecuados que «arruinan» la boda. Uno de sus actos es robar la limusina, y así conduce en estado de embriaguez hasta que tiene un accidente. Esto la lleva a tener que realizar un programa terapéutico de rehabilitación por orden judicial, por lo que ingresa en un centro de adicciones durante 28 días, título de la película.

Cuando inicia el programa de tratamiento no tiene ninguna consciencia de su problema de consumo, por lo que carece de intención de cambio. Así se revela contra las normas, vuelve intoxicada tras una visita de su novio, se mofa de rituales que llevan a cabo sus compañeros de grupo, etc. Se justifica afirmando que todos los escritores lo hacen y minimiza su conducta, «si quiero, lo controlo».

Hay una serie de factores que le hacen tomar consciencia de su enfermedad. Le indican que la van a echar del centro y que tendrá que ingresar en la cárcel, los recuerdos tormentosos de cuando era pequeña y su madre bebía, los temblores en sus manos, y por último caerse al descender desde su ventana al intentar coger unas pastillas tranquilizantes que había tirado anteriormente, lo cual hace que se quede inconsciente y que se dañe una pierna.

Durante el curso de la película se observan diferentes tipos de terapias y cómo van calando en la protagonista: terapia de grupo, sesiones individuales, encuentros familiares, reuniones con hijos donde verbalizan el daño sufrido, «terapia equina», etc. Esto, junto con el apoyo de sus compañeros de grupo y de los profesionales, hace que empiece a compartir experiencias e implicarse en su recuperación. De esta forma, va abandonando gradualmente su postura reacia al cambio e inicia una larga lucha por recuperar su vida, reencontrándose con su hermana.

Se muestra la dureza de un centro de adicciones, donde se emocionan y sienten el miedo tras recibir el alta, vuelven pacientes que han tenido una recaída y llega a fallecer su compañera de habitación tras una sobredosis de heroína.

Tras el alta se observan las dificultades que puede encontrarse un paciente de este tipo. Llega a su casa y está llena de botellas de alcohol de su última «fiesta». Su novio mantiene la misma vida, y esto la hace tomar la decisión de abandonar la relación en aras de mantener su abstinencia. También apreciamos cómo utiliza las estrategias aprendidas durante la terapia para prevenir recaídas.

Se ve la evolución de una persona desde su fase de consumo y las consecuencias que la genera, el ingreso en un centro, la negación y minimización del trastorno adictivo, hasta la aceptación e implicación en la terapia y el inicio del proceso de recuperación.

CUANDO UN HOMBRE AMA A UNA MUJER

Año	1994
País	Estados Unidos
Duración	120 minutos
Dirección	Luis Mandoki
Producción	Jordan Kerner y Jon Avnet
Guión	Ronald Bass y Al Franjen
Música	Zbigniew Preisner
Fotografía	Lajos Koltai
Reparto	Meg Ryan, Andy García, Ellen Burstyn, Lauren Tom, Tina Majorino, Mae Whitman, Philip Seymour Hoffman, Eugene Roche, Gail Strickland, Steven Brill, Susanna Thompson y Erinn Canavan

Sinopsis: Alice y Michael, tras un «flechazo», se convierten a simple vista en el prototipo de matrimonio perfecto. Ella trabaja como consejera de estudios en una escuela y él como piloto. Viven en una bonita casa, con dos hijas, la mayor, fruto de un anterior matrimonio de Alice, pero que Michael la siente como su hija.

Tras esta aparente vida idílica, Alice esconde su gran secreto, es alcohólica. Michael tarda en darse cuenta del problema que Alice tiene con el alcohol, dado que su profesión de piloto lo mantiene alejado de casa con frecuencia.

En la película se aprecia la cruda realidad del alcoholismo reflejado en una mujer. Esconde botellas, su comportamiento se torna agresivo, olvida a una de sus hijas en una tienda, llega incluso a estar a punto de ahogarse tras caerse mientras se está bañando después de haber ingerido alcohol y pastillas. Pero hay algo que le hace «tocar fondo», que es cuando pega a su hija, y luego, tras el episodio en la ducha, su hija piensa que ha muerto. Es entonces cuando reconoce su dependencia y acepta internarse en un centro de tratamiento. Hasta este momento vemos intentos fallidos que hacen por solucionar el problema, «pensar que está pasando una mala racha», haciendo por ejemplo un viaje la pareja en solitario.

Una vez recibe el alta sigue acudiendo a sesiones de grupo, pero ella se ha convertido en una nueva mujer, lo cual genera dificultades de adaptación en la pareja; por ejemplo, Michael sigue actuando de una forma protectora intentando resolver sus problemas. Esto les hace separarse temporalmente, aun con el sufrimiento de ambos por el gran amor que se profesan.

El pico

Año	1983
País	España
Duración	105 minutos
Dirección	Eloy de la Iglesia
Producción	José Antonio Pérez Giner
Guión	Gonzalo Goicoechea y Eloy de la Iglesia
Música	Luis Iriondo
Fotografía	Hans Burman
Reparto	José Luis Manzano, José Manuel Cervino, Luis Iriondo, Enrique San Francisco, Lali Espinet, Queta Ariel, Marta Molins, Pedro Nieva Parola, Alfred Lucchetti, Guillermo Reinlein, Marta Pérez, Santiago Pons, María Isabel Amaya, Carmen Contreras y Jordi Batalla

Sinopsis: La trama se desarrolla en el Bilbao de inicios de los ochenta del siglo pasado y trata fundamentalmente sobre la adicción a la heroína y, en menor medida, sobre el rechazo social a un hijo de un guardia civil.

Paco y Urko son dos amigos que tienen que ocultar su relación, ya que Paco es el hijo del comandante Torrecuadrada, perteneciente a la Guardia Civil, y Urko es hijo de un político de la izquierda independentista vasca. Juntos empiezan a consumir sustancias hasta que dan el salto a la heroína, enganchándose rápidamente. Para costearse su dependencia no dudan en vender droga hasta que los «clientes» conocedores de quién es el padre de Paco, prefieren que no sea él quien les pase. Al no poder vender y costearse su consumo deciden dar «un golpe» a su camello, complicándose la situación, por lo que matan al camello y su pareja. Con unos cien gramos de heroína se encierran durante días en la casa de una prostituta consumiendo sin parar hasta que llega un fatal desenlace.

Se aprecia el nexo de unión entre heroína y delincuencia y cómo las familias se sentían impotentes para afrontar la situación alterando incluso sus valores para «tapar» a sus hijos, como es el caso del comandante Torrecuadrada.

Fue una de las películas de la época que se ocupó de ese terrible asunto, la adicción a la heroína, que tantas vidas cortó, primero con las sobredosis y después con el sida y la hepatitis C. Se observa la crudeza del síndrome de abstinencia («mono»), el deterioro físico y moral, etc.

Información de interés

MANUALES DE APOYO Y CONSULTA

Alonso Fernández, F. (2003). *Nuevas adicciones: alimento, sexo, compras, televisión, juego, trabajo, Internet*. Madrid: TEA.

Beck, A. T., Wright, F. D., Newman, C. F y Liese, B. S. (1999). *Terapia cognitiva de las drogodependencias*. Barcelona: Paidós.

Becoña, E. y Vázquez, F. (2001). *Heroína, cocaína y drogas de síntesis*. Madrid: Síntesis.

Becoña, E. y Martín, E. (2004). *Manual de intervención en drogodependencias*. Madrid: Síntesis.

Cabrera Bonet, R. y Torrecilla Jiménez, J. M. (2004). *Manual de drogodependencias*. Madrid: Agencia Antidroga.

Cirillo, S., Berrini, R., Cambiaso, G. y Mazza, R. (1999). *La familia del toxicodependiente*. Barcelona: Paidós.

Del Nogal Tomé, M. (2009). *Intervención psicológica en drogodependencias*. Madrid: CEP.

Echeburúa, E. (1999). *¿Adicciones sin droga? Las nuevas adicciones: juego, sexo, comida, compras, Internet*. Bilbao: Desclée de Brouwer.

Echeburúa, E. (1994). *Evaluación y tratamiento de trastornos adictivos*. Madrid: Fundación Universidad Empresa.

García Aguado, P. (2008). *Mañana lo dejo. Confidencias de un campeón olímpico que venció a las drogas y al alcohol*. Barcelona: Bresca.

Graña, J. L. (1994). *Conductas adictivas: teoría, evaluación y tratamiento*. Madrid: Debate.

Macia Antón, D. (2003). *Drogas ¿por qué?: educar y prevenir*. Madrid: Pirámide.

Miller, W. R. y Rollnick, S. (2005). *La entrevista motivacional: preparar para el cambio de conductas adictivas.* Barcelona: Paidós.

Pullan, K. y Durant, L. (2001). *Cómo trabajar con niños y familias afectados por las drogas.* Madrid: Narcea Ediciones.

Santaella, J. (2008). *Vino torcido.* Marbella: Edinexus Multimedia.

Direcciones de interés

— Plan Nacional sobre Drogas (www.pnsd.msc.es)
— Fundación de Ayuda contra la Drogadicción (www.fad.es)

En la página del Plan Nacional sobre Drogas, www.pnsd.msc.es, existe un directorio de la Delegación del Gobierno, donde, según la comunidad autónoma, se pueden encontrar tanto centros de asistencia al drogodependiente como planes autonómicos de drogas:

www.pnsd.msc.es/Categoría 1/directorio/home.htm

PLANES AUTONÓMICOS DE DROGAS

Andalucía

Comisionado para las drogas

CONSEJERÍA PARA LA IGUALDAD Y BIENESTAR SOCIAL
C/ Héroes de Toledo, 14. Edificio Junta de Andalucía.
41006 Sevilla
Tel.: 955 04 83 23 y 955 04 83 33

Aragón

Sección de Drogodependencias de la Dirección General de Salud Pública

CONSEJERÍA DE SALUD Y CONSUMO
C/ Ramón y Cajal, 68. 50004 Zaragoza
Tel.: 976 71 45 91

Asturias

Unidad de Coordinación del Plan de Drogas para Asturias

CONSEJERÍA DE SALUD Y SERVICIOS SANITARIOS
C/ Ildefonso Sánchez del Río, 5, bajo. 33001 Oviedo
Tel.: 985 66 81 53.

Baleares

Plan Autonòmic de Drogues

CONSELLERIA DE SALUT I CONSUM
C/ Zuloaga, n.º 2. 07005 Palma de Mallorca
Tel.: 971 47 30 38

Canarias

Dirección General de Atención a las Drogodependencias

CONSEJERÍA DE SANIDAD
Rambla General Franco, n.º 53. 38071 Santa Cruz de Tenerife
Tel.: 922 47 46 69
Plaza del Fuero Real de Gran Canaria. Edificio Tamarco, 4, bajo. 35004 Las Palmas de Gran Canaria
Tel.: 928 45 22 87

Cantabria

Dirección General de Salud Pública. Servicio de Drogodependencias

C/ Federico Vial, n.º 13-4.ª planta. 39009 Santander

Tel.: 942 20 77 92

Castilla-La Mancha

Dirección General de Planificación y Atención Sociosanitaria

Consejería de Sanidad

Pza. Zocodover, 7-1.º. 45005 Toledo

Tel.: 925 38 92 00

Castilla y León

Comisionado Regional para la Droga

Consejeria de Familia e Igualdad de Oportunidades

C/ Mieses, 26. 47071 VALLADOLID

Tel.: 983 41 23 31 y 983 41 22 72

Cataluña

Subdirección General de Drogodependencias

Departamento de Salud

Roc Boronat, 81-85. 08005 Barcelona

Tel.: 935 51 35 88 y 934 12 04 12

Ceuta

Plan sobre Drogas y Sida

Consejería de Sanidad y Bienestar Social

C/ Juan de Juanes, n.º 4. 51002 Ceuta

Tel.: 956 50 33 59 y 956 50 75 41

Extremadura

Secretaría Técnica de Drogodependencias

CONSEJERÍA DE SANIDAD Y DEPENDENCIA
Avda. de las Américas, n.º 2. 06800 Mérida
Tel.: 924 38 27 70 y 900 21 09 94

Galicia

Plan de Galicia sobre Drogas

CONSEJERÍA DE SANIDAD
Edificio Administrativo San Lázaro, s/n. 15783 Santiago de Compostela (A Coruña)
Tel.: 981 54 18 55 y 981 54 18 56

Madrid

Agencia Antidroga de la Comunidad de Madrid

CONSEJERÍA DE SANIDAD Y CONSUMO
C/ Julián Camarillo, 4-B. 28037 Madrid
Tel.: 91 426 95 60 y 91 426 95 58.

Melilla

Comisionado Autonómico para el Plan de Drogas

CONSEJERÍA DE BIENESTAR SOCIAL Y SANIDAD
C/ Carlos Ramírez de Arellano, n.º 10. 52004 Melilla.
Tel.: 952 69 93 01

Murcia

Secretaría Autonómica de Atención al Ciudadano, Ordenación Sanitaria y Drogodependencias

CONSEJERIA DE SANIDAD
Ronda de Levante, 11. 30008 Murcia
Tel.: 968 36 58 49 y 968 36 78 31

Navarra

Plan Foral de Drogodependencias. Dirección Técnica

CONSEJERÍA DE SALUD
C/ Amaya, 2.ª, A, pta. baja. 31002 Pamplona
Tel.: 848 42 14 38 y 848 42 14 39

País Vasco

Departamento de Vivienda y Asuntos Sociales

DIRECCIÓN DE DROGODEPENDENCIAS
C/ Donostia-San Sebastián, 1. 01010 Vitoria-Gasteiz
Tel.: 945 01 81 04

La Rioja

Comisionado Regional para la Droga

CONSEJERÍA DE SALUD
Gran Vía Juan Carlos I, 18-8.º. 26071 Logroño
Tel.: 941 29 18 70

Comunidad Valenciana

Dirección General de Drogodependencias

Consejería de Sanidad
C/ Guardia Civil, 30, entlo. 46020 Valencia
Tel.: 963 87 03 92 y 900 16 15 15

Títulos publicados

SOS... Accidente cerebrovascular.
E. M.ª Rivas Gómez.
SOS... Cómo recuperar el control de tu vida.
I. Zych.
SOS... Conviviendo con la esclerosis múltiple.
L. Aranguren Arbea.
SOS... Dejadme morir.
F. Cruz Quintana y M.ª P. García Caro.
SOS... Maestros del corazón.
N. S. Ramos Díaz.
SOS... Me da miedo conducir.
B. Dorrio Lourido.
SOS... Me deprimo.
W. Peñate Castro y L. Perestelo Pérez.
SOS... Mi chico me pega pero yo le quiero.
F. Gálligo Estévez.
SOS... Mujeres maltratadas.
M.ª J. Rodríguez de Armenta.
SOS... Soy dependiente.
A. Lisbona Monzón, Leila Nomen Martín y May Pliego Vidal.
SOS... Soy inmigrante.
Á. Castro Vázquez.
SOS... Sufro fatiga crónica.
E. Miró Morales, P. Martínez Narváez-Cabeza de Vaca y A. I. Sánchez Gómez.
SOS... Tengo cáncer y una vida por delante.
L. Montesinos Palacios.
SOS... Tengo miedo a tener miedo.
R. Aguado Romo.
SOS... Tengo una adicción.
J. A. Molina del Peral.
SOS... Víctima de abusos sexuales.
J. Urra Portillo (dir.).
SOS... Víctima del terrorismo.
I. Villa González.